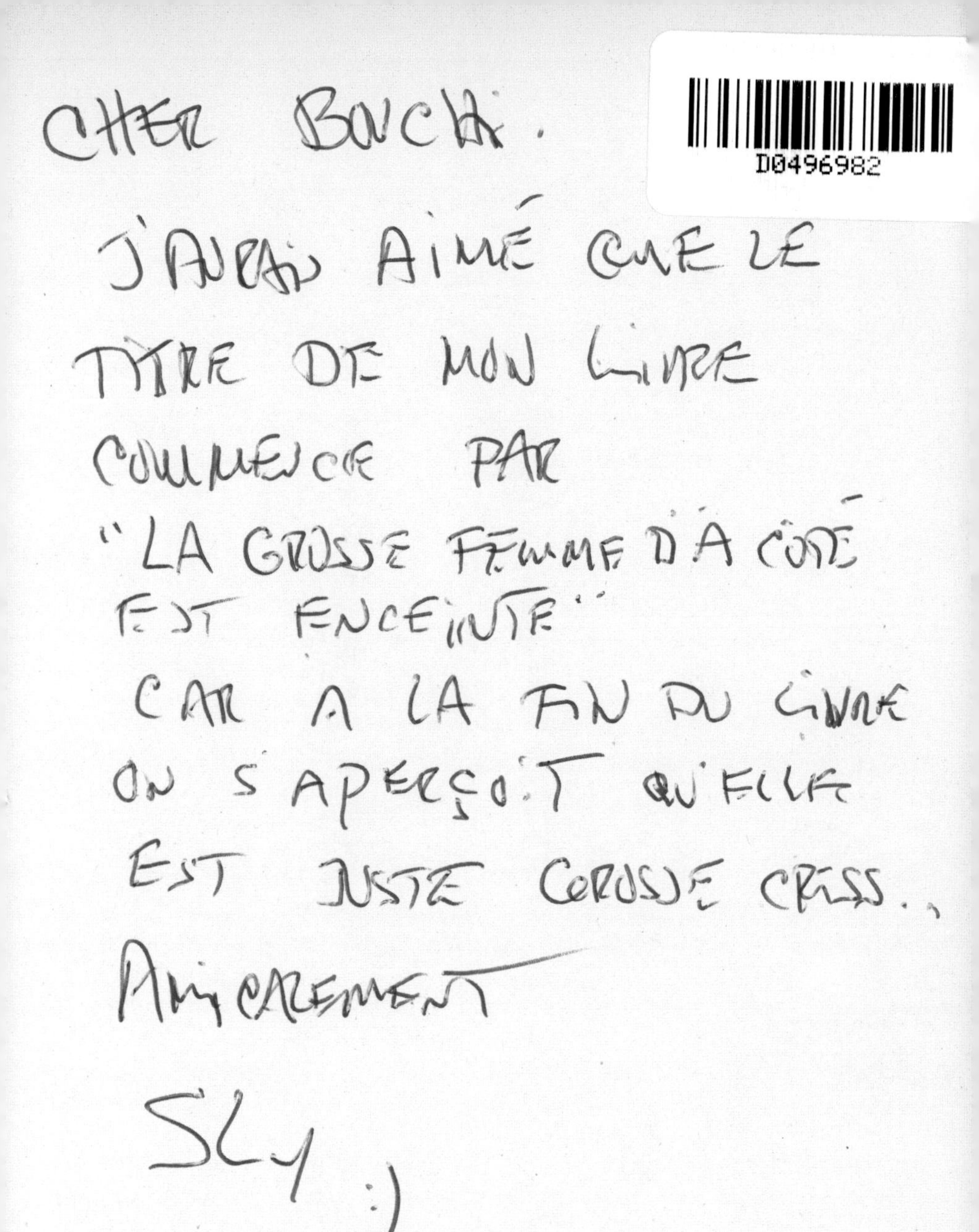
CHER BOUCHA.

J'AURAIS AIMÉ QUE LE TITRE DE MON LIVRE COMMENCE PAR "LA GROSSE FEMME D'À CÔTÉ EST ENCEINTE" CAR À LA FIN DU LIVRE ON S'APERÇOIT QU'ELLE EST JUSTE GROSSE CRISS..

AMICALEMENT

SLY :)

DÉTROUSSEUR
DE VIES
Temps 1

Catalogage avant publication de Bibliothèque et Archives nationales du Québec et Bibliothèque et Archives Canada

Girard, Jasmin
Détrousseur de vies
Sommaire : t. 1. Temps
L'ouvrage complet comprendra 3 volumes.
ISBN 978-2-89662-304-4 (vol. 1)
I. Titre. II. Girard, Jasmin. Temps. III. Titre : Temps.
PS8613.I722D47 2014 C843'.6 C2013-942269-2
PS9613.I722D47 2014

Édition
Les Éditions de Mortagne
Case postale 116
Boucherville (Québec)
J4B 5E6
Tél. : 450 641-2387
Téléc. : 450 655-6092
Courriel : info@editionsdemortagne. com

Illustration en couverture
François Couture

Dépôt légal
Bibliothèque et Archives Canada
Bibliothèque et Archives nationales du Québec
Bibliothèque Nationale de France
1er trimestre 2014

ISBN : 978-2-89662-304-4
ISBN (epdf) : 978-2-89662-305-1
ISBN (epub) : 978-2-89662-306-8

1 2 3 4 5 – 14 – 18 17 16 15 14

Imprimé au Canada

Nous reconnaissons l'aide financière du gouvernement du Canada par l'entremise du Fonds du livre du Canada (FLC) et celle du gouvernement du Québec par l'entremise de la Société de développement des entreprises culturelles (SODEC) pour nos activités d'édition. Gouvernement du Québec – Programme de crédit d'impôt pour l'édition de livres – Gestion SODEC.

Membre de l'Association nationale des éditeurs de livres (ANEL)

JASMIN GIRARD

Temps 1

ÉDITIONS DE MORTAGNE

À Loïc L., Justine, Maxence et Loïc G., les quatre inépuisables sources d'inspiration à l'origine de cet ouvrage.

Une pensée spéciale pour Loïc L., qui a plongé dans ce monde dès sa création et a énormément contribué à son aboutissement.

Merci.

Sommaire

La possession

L'Exéité, le monde des âmes. Des Sykrans s'y déplacent avec frénésie. Masses d'énergie bleue qui foncent vers leur but, sans gravité ni friction pour les ralentir. Elles ont toutes la même pulsion : posséder un corps. Tournoyant comme des vautours autour d'une mère qui accouche, elles se mettent à vibrer lorsque le moment approche. Le bébé s'arrache enfin à la protection de sa mère et devient vulnérable. Une nuée de créatures fonce dans le minuscule vortex qui apparaît, passage entre l'Exéité et la Kidité, le monde humain. Elles s'entremêlent et s'étouffent dans l'entonnoir qui rétrécit. Leur force est puissante. Animale. Instinctive. Certains Sykrans abandonnent, déchiquetés, dispersés par les autres. Les plus forts continuent. Ils avancent toujours plus loin, ils peuvent ressentir leur but ultime, l'enfant. Ils se rapprochent, ils y ont sont presque. Les derniers Sykrans accélèrent. Vaincre pour survivre. Un seul y parvient. Un seul entre dans le bébé et l'habite.

C'est ainsi que vous avez gagné le corps que vous possédez en ce moment et que vous garderez jusqu'à sa mort. Nul ne peut déroger à cette règle.

Prologue

Pourquoi ?...

Qui suis-je ?...

Où vais-je ?

Je ne sais pas...

Je ne sais plus.

Tout ce que je sais, c'est que je saute de corps en corps...

- 1 -

Ma vie est un enfer

La Pouponnière-Mère, cœur de l'Exéité, berceau des Sykrans en formation. Elle a créé une aberration, un Sykran d'exception d'une force titanesque qui s'est échappé des courants du nuage de vie.

Ses pouvoirs ont causé un débalancement dans les forces de l'Exéité. Le monde a été tétanisé par une violente onde de choc. Afin de rétablir l'équilibre, la Pouponnière-Mère a produit une seconde créature, dotée d'une puissance en tous points opposée à celle de la première. Un être créé pour anéantir l'Erreur qui risque de causer la destruction du monde.

L'Erreur est la seule créature capable d'arracher un Sykran à sa chair et de lui prendre sa vie. Ses facultés phénoménales forcent le vortex entre les mondes et extirpent le Sykran du corps qu'il possède.

Une lutte acharnée s'ensuit.

Le corps ne sait plus à qui il doit obéir. Les deux masses se déchaînent, mais l'Erreur finit par établir sa domination.

Un éclair, une douleur fulgurante. Je me redresse d'un coup, suffoqué. Je cherche désespérément mon air. Mes yeux sont grand ouverts, mais je ne suis pas encore capable de voir. Tout est blanc. Mes membres sont paralysés par le choc brutal que mon corps subit. Celui-ci se convulse, comme s'il tentait de chasser quelque chose qui l'envahit. De la bave m'emplit la bouche et se met à couler sur mon menton. Des images que je ne comprends pas m'apparaissent en flashs. Je dois inspirer à tout prix, mais mes muscles refusent d'obéir. J'étouffe. Les visions arrivent, tantôt proches, tantôt lointaines, et repartent à toute vitesse. Elles tourbillonnent en spirale sous mes yeux, de plus en plus vite. Mes poumons font mal, prêts à exploser dans ma poitrine. J'ai l'impression d'être broyé par un boa constrictor. Je dois prendre le contrôle. *Inspire, Zed, inspire !* Quelques secondes qui me paraissent une éternité s'écoulent encore et les convulsions s'arrêtent enfin. La tension se relâche juste assez pour me permettre d'aspirer un peu d'air. Et je vomis, d'un seul coup, partout sur la couverture. Je me laisse retomber sur le lit, épuisé par l'effort. Ouf. Le pire est fait. Ma tête tourne. Mes yeux, peu à peu, se mettent à obéir et me renvoient des images du monde où je suis.

Il fait noir. Mon cœur martèle ma poitrine à toute vitesse. Impossible de ralentir ses battements. Je regarde le plafond. Je n'ose pas bouger, pas encore. Sans déplacer ma tête, j'observe la pièce dans laquelle je me trouve. C'est sombre, mais je discerne des formes inanimées autour de moi. Derrière les stores baissés, deux fenêtres laissent filtrer un peu de lumière. C'est donc le jour. Le matin ? Mon cœur s'emballe à nouveau. Je sens ses pulsations dans ma gorge. J'ai encore de la difficulté à respirer. Je tourne la tête lentement, un goût acide dans ma bouche desséchée. Un réveille-matin affiche 6 h 55. Une vague d'angoisse traverse mon corps et je me relève brusquement. Je glisse hors du lit, tombe à quatre pattes sur le sol, la respiration saccadée. Je perds connaissance.

Drrrring ! Drrrring ! Drrrring ! Quoi ? Qu'est-ce que c'est ? Où suis-je ? Étendu, le visage contre le tapis. Un tapis à poils ras qui pue le renfermé, la vieille poussière qui reste même quand on passe l'aspirateur. Il est imprégné des odeurs de cette maison.

Drrrring ! Drrrring ! Drrrring ! Je me redresse. Je déteste cette sonnerie, mais je ne sais pas pourquoi. Encore chancelant, je m'approche du lit et saisis le réveil. 7 h 00.

Drrrring ! Drrrring ! Drrrring ! L'objet s'agite entre mes mains moites et maladroites. Je tourne l'appareil en tous sens pour trouver un moyen de le faire taire. J'appuie sur un bouton, puis sur un autre, sans succès. Je ne veux plus entendre ce bruit ! Il résonne dans mon corps tout entier.

Drrrring ! Drrrring ! Drrrring ! Mes gestes deviennent plus précipités. J'aperçois un interrupteur. Je l'actionne et j'attends, anticipant de sentir à nouveau l'objet vibrer méchamment, mais... plus rien. Je soupire de soulagement.

Qu'est-ce que c'était que cette panique ridicule ? Je chasse des images de mon esprit. Je repose l'objet sur la chaise de bois qui fait office de table de chevet et j'allume la lampe qui se trouve à côté. Je parcours encore une fois la chambre du regard. Les murs sont d'un bleu défraîchi. Tout semble si impersonnel. Quelque chose cloche, c'est sûr.

– Alex ! Tu vas te lever ?

C'est une voix de femme, aiguë, éraillée, sans chaleur, qui provient de l'extérieur de la pièce. Cette voix qui m'effraie, est-ce à moi qu'elle parle ? Oui, je m'appelle Alex. J'ai un frère, Charlie, qui est plus vieux. Tout ce dont je me souviens à son sujet, c'est qu'il ne me protège pas et que je le déteste.

Prends le contrôle, Zed, ça presse. Je n'aime pas les débuts. Ils sont pleins d'inconnu. En quelle année sommes-nous ? Comment était celui dont j'ai pris la place ? Je viens à peine de débarquer et l'angoisse me reste coincée dans la gorge...

– ALEX ! Réponds-moi, maudit flanc mou !

La voix de tout à l'heure, fâchée. Je frissonne malgré moi en prenant conscience qu'il s'agit de ma mère. Visiblement, j'ai abouti dans une famille de rêve. Je n'ai pas beaucoup de temps, je dois chasser cette peur qui m'empêche d'agir. Je me lève, fouille un peu et trouve un tiroir plein de vêtements. Mais au fait, j'ai l'air de quoi ? Je parcours la pièce du regard sans trouver de miroir. J'examine mon corps et constate qu'il est livide et terriblement maigre. Une vague de dégoût monte en moi. Je me déteste, je hais cette vie ! Il m'est arrivé de mieux tomber... Je ramasse un chandail et un pantalon, sans prendre la peine de les choisir. Quelle importance de toute façon, puisque tout ce qui m'appartient est laid et triste ?

Je grimace en constatant qu'une odeur âcre s'est répandue dans la pièce. Je prends ma couverture souillée, je la roule en boule et la lance dans un coin. On verra ça plus tard. Mon sac à dos est appuyé contre l'un des pieds du bureau. À sa vue, des instantanés de ma vie apparaissent encore dans ma tête. *Je suis par terre dans la cour d'école, les mains et le visage couverts de sang. Je me sens tout petit sous le regard méprisant d'un professeur qui me toise de toute sa hauteur. Je suis encerclé, pris au piège par des jeunes qui se moquent de moi.* Mon cœur se remet à battre la chamade.

– Hé, le cave, descends !

Cette voix-là, c'est celle de mon frère. J'attrape mon sac, mets dedans les livres qui traînent sur le bureau et emprunte l'escalier jusqu'à la cuisine. J'ai une très forte envie de me sauver en courant. Arrivé en bas, je ne vois d'abord qu'un énorme derrière devant la porte ouverte du frigo vert délavé. Ma mère se redresse. Elle a un visage marqué par la pauvreté, l'alcool et la violence. Je sens qu'elle est malade, que quelque chose la gruge et la détruit à petit feu. Elle n'en a plus pour très longtemps et j'éprouve malgré moi un sentiment de satisfaction malsaine.

– Bien dormi ? lance-t-elle, sarcastique.

Je ne réponds pas. Je m'assois devant deux tranches de pain brûlées et froides qui me sont destinées. Je repousse l'assiette, écœuré.

– Continue à rien manger, me dit mon frère, moqueur. Tu vas nous faire une faveur quand tu vas disparaître pour de bon !

Disparaître... C'est ce que je souhaite plus que tout ! J'observe mon frère du coin de l'œil. Il n'est pas gros, mais il est très grand, avec une tête de cheveux frisés et un regard méchant. Ses mains sont immenses et puissantes. J'aime mieux ne pas me souvenir du nombre de fois qu'elles m'ont frappé. Charlie vient tout juste d'avoir dix-huit ans. Il n'a même pas deux ans de plus que moi, mais il en fait vingt-quatre, alors que j'ai l'air d'en avoir douze...

– Mon chéri, pas de bêtises aujourd'hui, s'il te plaît.

La voix cruelle que j'ai entendue plus tôt s'est transformée. Elle est maintenant douce, mielleuse, admirative... Ça me dégoûte. On voit tout de suite qui est le préféré dans cette famille.

– Toi, tu es bien mieux de ne pas encore couler ton examen, parce que tu vas avoir affaire à moi !

Évidemment, c'est à moi que ma mère parle, tout en brandissant une main menaçante dans les airs. Je fixe la table. C'est vrai, j'ai un examen de maths. Alex a essayé d'étudier hier soir, mais les chiffres se mêlaient dans son esprit et il n'a rien compris. Il paniquait à l'idée de ce test. Encore une fois, je sens ma poitrine se contracter. Alex vivait avec la peur tout le temps, c'est pour ça qu'elle me vient si facilement.

Je sors de la maison derrière mon frère, sac sur le dos. Je n'arrive pas à me rappeler où l'école se situe et je dois suivre Charlie pour la trouver. Heureusement qu'il est encore au secondaire, malgré son âge. Je suis soulagé de quitter cette maison oppressante, malgré la pluie qui tombe comme un mur gris et glacial. L'eau pénètre dans mon manteau brun trop grand pour moi et glisse le long de mon corps décharné. La cadence de mon frère est trop rapide et je dois courir pour le rattraper. Il me dévisage.

– Depuis quand tu marches à côté de moi ?

Je ralentis pour éviter les problèmes, c'est ce qu'Alex aurait fait. Je suis trempé et mon nez coule. J'aurais dû mettre des bottes de pluie, mais je n'en ai pas trouvé. J'essaie d'éviter les flaques d'eau sur le trottoir. Rien à faire, mes bas sont imbibés et mes pas s'accompagnent d'un désagréable bruit de succion. *Floc, floc.* J'entends une cloche pas très loin, qui fait vibrer mes os engourdis par le froid. Mon frère se met à courir, sans se donner la peine de me jeter un regard. Je le suis, tourne un coin de rue et me retrouve face à un grand bâtiment, mon école. Charlie est déjà entré. Je reste un instant devant la porte, à fixer l'immeuble de briques rouges, le visage dégoulinant. Des exclamations, des cris, des bruits de chaises qu'on tire ; le désordre d'avant les cours me parvient des fenêtres entrouvertes. Je prends une grande inspiration et passe la porte. Je sens que je déteste cet endroit. C'est encore pire que la maison.

Je me précipite au deuxième étage aussi vite que mes jambes me le permettent. Il ne faut pas que je sois en retard, je ne dois pas attirer l'attention. Je frôle le bras d'un étudiant. Je poursuis ma route et m'arrête machinalement devant une case, ça doit être la mienne. Des chiffres m'apparaissent tout à coup. Je fais la combinaison sur le cadenas qui se débarre. J'ouvre la porte et cherche quelque chose pour me sécher avant d'entrer en classe. Une main referme violemment la porte métallique. C'est l'élève que j'ai effleuré dans l'escalier. Il me semble gigantesque, une masse de graisse et de muscles dont les yeux ne sont que deux fentes luisantes au milieu de son énorme face.

– Tu m'as touché, me reproche-t-il.

Je fais comme si je ne l'avais pas entendu.

– Tu sais que je n'aime pas ça quand on me touche.

Il approche son visage du mien. Son haleine empeste. Je sens son souffle fétide et chaud sur mon oreille.

– Si jamais tu refais ça...

Il me prend la tête avec sa main, sous le menton, et la tourne vers lui pour me forcer à le regarder.

– ... Tu vas le payer, ajoute-t-il en me postillonnant au visage. Tu as compris ?

Une terreur familière monte en moi. J'ai un mouvement de recul, mais ma mâchoire reste immobilisée entre ses doigts puissants. Des larmes me montent aux yeux, je déteste cette faiblesse. Je veux seulement partir loin d'ici et ne jamais revenir dans ce monde ! Je sens une colère germer en moi à l'idée de fuir. C'est ce que je fais toujours et j'en ai marre. Un feu naissant mais d'une intensité sans pareille tente de percer à travers la honte que je ressens. Je pousse mon agresseur, il ne bouge pas. Ma peur se fait plus petite, ma rage gonfle. Si seulement celle-ci pouvait se déchaîner... J'envoie mon genou en plein entre les deux jambes du gars. L'espace d'un instant, je suis satisfait. Ce n'est pas un coup dévastateur, mais il doit faire mal quand même. Surpris, le mastodonte se plie sous le choc, recule et me lâche enfin. Je vois l'étonnement sur ses traits, puis la haine. Ce gars-là veut me tuer. C'est ça, finissons-en, aide-moi à partir d'ici ! Mon mal de cœur revient. Le corridor tourbillonne sous mes yeux. Des perles de sueur se mêlent aux gouttes de pluie qui mouillent mon visage.

– Qu'est-ce qui se passe ? fait une voix féminine.

– Il m'a donné un coup de genou ! répond mon agresseur d'un ton furieux et incrédule.

J'ai de la difficulté à tenir debout, je ne vois pas bien à cause de mes cheveux trempés qui tombent devant mes yeux. Je prends appui sur les cases.

– D'habitude, c'est toi qui donnes des coups, riposte la voix. Va en classe et laisse-le tranquille.

– Mais...

– Je t'ai dit d'aller en classe.

L'autre s'éloigne en marmonnant, tandis que je retrouve peu à peu mes sens. Le danger est écarté. Pour le moment.

– Ça va ? me demande la femme doucement.

Je la regarde pour la première fois. Un rayon de chaleur me pénètre. Incroyable... Cette femme irradie de bonté, c'est un éclat de lumière dans l'enfer qui m'entoure. Je la dévisage, fasciné, je me nourris de la tendresse que je peux lire dans ses yeux. Tandis que mes émotions se tempèrent et qu'un rare moment de bonheur s'installe en moi, je fixe la dame sans rien dire, les yeux ronds, la bouche légèrement ouverte. Son visage si doux est troublé par l'inquiétude.

– Alexandre... Parle-moi, s'il te plaît...

Dois-je vraiment me confier ? N'est-ce pas évident ? Ma mère et mon frère me frappent et m'insultent, les brutes de l'école me sautent dessus dès qu'ils en ont l'occasion et je rate examen après examen... Personne ne m'aime, personne ne me parle. Personne ! À part vous, madame Rachel. Oui, c'est ça. Madame Rachel, la directrice.

Drrrring ! La cloche qui annonce le début des cours. Le corridor est vide, il ne reste qu'elle et moi.

– Je peux t'aider, murmure-t-elle en me touchant le bras. Mais, pour ça, tu dois tout me dire...

Les mots se bousculent et se coincent dans ma gorge. Rien ne sort, même pas un petit son inarticulé.

– Alexandre Langevin !

Une nouvelle voix, un homme, cette fois. La petite bulle de ouate qui s'était formée un instant autour de moi grâce à la présence de la directrice éclate subitement. Tout me revient d'un coup, comme une claque en plein visage. Alex est habitué aux claques. Ça me réveille.

– Excuse-moi, Rachel, poursuit mon professeur. Je ne savais pas qu'il était avec toi. Mais il a un examen, alors...

Elle me sourit, résignée.

– Viens me voir à l'heure du midi, on va discuter tous les deux, me propose-t-elle.

Elle se tourne vers le professeur de maths qui attend dans l'encadrement de la porte de sa classe.

– Il est à toi, Richard.

Madame Rachel s'éloigne, après m'avoir lancé un dernier regard. Je lui souris comme si de rien n'était, mais je suis triste de la voir s'en aller. J'entre en classe en secouant mes cheveux encore gorgés d'eau. Je lance un rapide coup d'œil dans la pièce. Une trentaine de paires d'yeux sont fixés sur moi. La plupart des élèves semblent amusés de mon retard et des gouttes qui s'écrasent sur le plancher à mon passage. Sur quelques visages, je lis de la pitié. Ceux-là savent.

Je m'assois à mon pupitre, où le test m'attend. Je sors machinalement ma trousse à crayons et j'attends les instructions. Le bourdonnement constant des néons me saisit, comme si une mouche s'acharnait à tenter de passer à travers une vitre, sans jamais prendre de pause. J'imagine l'insecte, agitant frénétiquement les ailes, ne sachant pas que ses efforts sont vains et que l'obstacle lui résistera, quoi qu'il fasse... Je pense à cette vie horrible, la pire de toutes celles que j'ai vécues. Si seulement elle pouvait s'arrêter ! Je me sens traqué, partout où je vais. Une panique quasi constante me paralyse. Je ferme les yeux et inspire profondément. Il faut absolument que je me calme avant de commencer l'examen. L'examen ? Ma gorge se serre, encore une fois, et je porte mon regard sur le prof. Il me fixe, l'air sévère, assis derrière son bureau. Les autres ont déjà commencé, certains en sont à la deuxième page. Combien de temps s'est écoulé ? Je n'ai pas entendu le signal...

Je prends mon crayon et lis le premier problème. Mais les lignes se croisent sur le papier. Je relis la question, mais je ne saisis pas plus. Plus j'essaie de me concentrer, plus je tremble et moins je comprends. Je n'arrive pas à réfléchir. Je pense au gars que j'ai rencontré dans le corridor. Il va revenir et il va me tuer. Je ravale un haut-le-cœur. Mon esprit n'y est pas, assailli par une multitude de sentiments sombres et violents. Je veux juste partir d'ici.

Drrrring ! Je sursaute, complètement perdu. Mon réveil ? Non. Où suis-je... La cloche ! Le temps est écoulé et je n'ai rien écrit. Je m'enfonce dans ma chaise, pris dans un tourbillon. Les élèves se lèvent et vont porter leur test sur le bureau du professeur. Hébété, je fais la même chose. Je ne regarde même pas l'homme en lui remettant ma copie. J'ai coulé, comme le dirait si bien ma mère. Je suis un moins que rien, un nul, un imbécile.

Je sors, entraîné par le flot de la foule qui se dirige vers la cour d'école. Il pleut toujours, mais plus faiblement que tout à l'heure. J'ai oublié de prendre mon manteau et je dois rebrousser chemin, tant bien que mal, bousculé de partout. Je n'arrive plus à réfléchir et j'ouvre la première porte qui s'offre à moi pour échapper à la cohue. La salle de bain. Enfin le calme, la solitude. Je m'assois par terre dans le cabinet le plus éloigné de l'entrée. Ça sent le produit désinfectant et l'urine, mais je m'en moque. La tête entre mes mains, je pleure, impuissant. Je veux quitter au plus vite. J'ai tout le temps peur depuis ce matin, c'est insupportable.

– Il est là ! lance une voix triomphante.

Je la reconnais, c'est celle du gars des cases. À en juger par la quantité de pas que j'entends, il a amené des amis avec lui. Je n'ai pas pensé à verrouiller la porte du cabinet. Elle m'arrive en pleine figure. Je suis sonné, le nez en sang. Malgré moi, je laisse échapper une plainte. Des rires fusent. Le battant me frappe à nouveau, directement sur le front cette fois. Je suis étourdi, je ne sais plus où je me trouve, ni qui je suis. Zed ? Alex ? On s'en fiche, ce sera bientôt terminé... Je suis tiré par les pieds hors du cabinet, d'un geste brusque qui me fait perdre l'équilibre. Ma tête est projetée contre la cuvette de toilette. Je m'effondre sur le sol. Deux gars me relèvent de force et me maintiennent debout, mes jambes ne me soutiennent pas. Je n'ai plus peur, mais j'ai très, très mal au cœur. Le monde tourne. Ma joue explose quand le poing de mon ennemi s'écrase dessus. J'ai l'impression que mon visage en entier enfle à cause des coups répétés. Mon front, mon nez, ma joue ne sont que chaleur et pulsations. Je sens un liquide chaud et visqueux me couler le long du visage.

– Je t'avais dit que tu allais le regretter ! hurle la brute.

J'ai de la difficulté à voir ce qui se passe. Ma bouche est pleine du goût âcre du sang, mon esprit est embrumé par les coups. Dans un dernier geste de révolte, je crache au visage du gars devant moi, qui a un mouvement de recul, surpris. Avant de quitter définitivement ce cauchemar, j'entends un cri.

– Lâchez-le tout de suite !

On me laisse aller et je m'écroule. Cette voix, c'est celle de madame Rachel. Elle est en colère, elle a peur aussi. Trop tard, je suis déjà parti. Je vois la scène de haut, mon enveloppe pathétique, recroquevillée par terre. Madame Rachel se précipite vers ce corps, tandis que trois adolescents se tiennent à côté, pris en défaut, les bras ballants. Le plus gros d'entre eux a le visage constellé de points rouges. Des gouttes de sang qui luisent sous les néons, glissent une à une sur sa peau et vont se perdre dans le col de son chandail. Je monte. Le sol boueux, les arbres, le ciel... Tout est flou. Je m'élève encore. Le temps n'a plus d'importance. Je suis entouré de matière opaque. Les événements perdent de leur substance dans mon esprit... Que vient-il de se passer ? Sentiment de soulagement intense. Qui suis-je ? Je suis libre...

- 2 -

Qui ça ? Mon meilleur ami ?

Même éclair qui me traverse, même sensation de douleur fulgurante. Je tombe. Je m'écrase sur le sol dur et froid. Mon corps est secoué de spasmes incontrôlables, ma bouche se remplit de salive. Cette fois, tout est noir. Tous mes muscles font mal, ils se contractent violemment, ne répondent pas à mes commandes. Je manque d'air. Encore. Je dois prendre le contrôle. Mais les secondes s'écoulent si lentement... Des images passent devant mes yeux, défilent à toute vitesse. Je dois retrouver mon souffle, mais il ne vient pas. J'ai envie de lâcher prise, mais j'ai trop mal... Un son que je n'arrive pas à identifier. Encore des flashs. De l'air, il me faut de l'air ! Je n'y arriverai pas. Une pression sur mon épaule. C'est interminable, la douleur me parcourt le corps, me comprime. Détends-toi. Impossible. Un mot : « Justin ! » Tout n'est que souffrance. Mes poumons, mon cœur, mes membres sont figés. Les images se succèdent, mais je ne suis pas capable de m'y accrocher. Une main me tient l'épaule. Je la repousse violemment. Mon corps s'agite dans tous les sens. Enfin, j'inspire d'un coup, si fortement que mes poumons se tendent comme des ballons trop gonflés. Et je vomis sur le plancher, recroquevillé en position fœtale, tremblant, en sueur...

– Woah ! Qu'est-ce qui t'arrive, *man* ?

Je ne suis pas seul. Tout ce que je vois, c'est le plancher en béton gris sur lequel mon visage est collé. J'ai froid. Je suis couvert de vomi. Je tremble comme une feuille, épuisé. Je ferme les yeux et contrôle ma respiration. C'est fini.

– Justin, tu m'entends ? Merde... J'appelle une ambulance, OK ? Bouge pas.

Une voix de garçon. Pas besoin d'ambulance, je vais bien. J'ai dit ça dans ma tête. Je vois ses pieds qui s'éloignent de moi.

– Non, murmuré-je.

Je suis si fatigué. Les espadrilles reviennent.

– Quoi ? Qu'est-ce que tu as dit ?

– Ça va. Pas d'ambulance. Donne-moi une minute.

Le garçon reste devant moi, oscillant d'une jambe à l'autre. Il ne sait pas s'il doit m'écouter ou aller appeler quand même. Il décide de ne pas bouger. J'ouvre les yeux, mes paupières sont lourdes. J'ai besoin de dormir.

– Je suis où, là ? dis-je faiblement.

– On est dans l'atelier, on travaillait sur le projet..., répond-il machinalement. Mais tu ne te rappelles pas où tu es ? Faut vraiment que tu ailles à l'hôpital !

– Non, ça va.

– Tu sais qui je suis, au moins ?

Je tourne la tête vers lui. Maigrichon, avec des taches de rousseur partout sur la figure et des cheveux blonds qui lui tombent devant les yeux, plats et sans vie. Mon meilleur ami.

– Greg, dis-je en me relevant.

Il fixe mes vêtements souillés.

– C'est dégueu, me dit Gregory.

Je regarde autour de moi. Nous sommes dans un garage. Le garage de mes parents. Il n'a jamais servi à garer une voiture. Il y a des étagères partout, des bacs débordant d'écrous, de boulons, de vis, de petits appareils électroniques, d'outils. Je ne les reconnais pas au premier coup d'œil, mais, très vite, je me rends compte que je suis capable de tous les identifier. Justin était assis à une grande table, devant un ordinateur. Il a glissé de la chaise et sa tête a frappé le sol en premier. Je tâte la bosse énorme sur mon front. Décidément, ça devient ma spécialité... Mes muscles sont raides, mais je sens que j'ai un peu plus d'énergie.

– Qu'est-ce qui s'est passé, Just ? Tu me parlais d'un truc, je me souviens même plus de quoi, et d'un coup, tu es tombé. Ça faisait peur, *man*.

– Crise d'épilepsie, dis-je.

– Tu ne m'as jamais dit que tu étais épileptique !

– Ça fait longtemps que ce n'était pas arrivé. Il faut vraiment que j'aille me laver.

– Ouais, c'est sûr. Tu veux que j'y aille avec toi ?

– Dans la douche ? Je ne suis pas malade à ce point-là !

Gregory me regarde avec une drôle d'expression et finit par éclater de rire. J'entre dans la maison. Mes parents travaillent, il n'y a que mon ami, moi et le chien qui s'approche en me reniflant. Dis-moi, le chien, c'est par où, la salle de bain ?

Je me suis remis de ma sale journée d'hier. Deux transferts... J'ai dormi douze heures de suite. Greg est parti peu de temps après que je suis sorti de la douche. Il n'avait pas l'air certain que c'était une bonne idée de me laisser seul, mais je lui ai juré que j'avais juste besoin de repos. Un peu déstabilisé, il est parti quand même. J'ai enfin pu explorer le salon où j'ai trouvé des photos de famille. Mes parents me semblent en santé, heureux. Je suis leur fils unique. La maison est agréable, confortable, accueillante. Je suis bien tombé cette fois. Je crois que je vais pouvoir rester dans ce corps un moment. Heureusement, aujourd'hui, c'est samedi. Mes parents sont rentrés tard hier soir et sont déjà repartis ce matin. Ils sont allés skier pour la journée. Je ne les ai pas vus, j'ai trouvé une note sur le frigo. Tant mieux. Je les rencontrerai plus tard. J'ai nourri Pénélope, le golden retriever de la famille, qui n'arrête pas de me sentir et de me regarder de travers. Elle n'est ni agressive ni méchante, mais elle garde ses distances. Les animaux sont sensibles au changement. C'est souvent le chien ou le chat de la maison qui me démasque le premier, avant les parents qui sont trop occupés, stressés et pris par leur travail pour avoir le temps d'observer leur enfant. Des parents qui ne sont pas souvent à la maison, c'est idéal. Je considère mon reflet dans le miroir de la salle de bain. Je suis plutôt grand et athlétique. J'ai les cheveux noirs, ni longs ni courts. Visage intéressant malgré la bosse sur mon front qui a viré au bleu-mauve. Ça me convient. Je me souris, je me sens bien.

Greg doit me rejoindre ce matin pour poursuivre notre projet. Nous construisons un robot pour la foire des sciences qui aura lieu à la fin du mois prochain. En fait, l'objectif secret de Justin et de Gregory est d'aller à l'émission *Bouffeurs d'acier*. Justin a plusieurs épisodes enregistrés sur son ordinateur. J'en ai visionné un hier. Deux robots télécommandés s'affrontent dans une arène et le premier qui détruit l'autre gagne. Mouais, super... J'entre dans le garage et je regarde autour de moi. Je trouve vite notre chef-d'œuvre. Un assemblage de tôle et de circuits à moitié terminé. Il n'est pas terrifiant comme le Broyeur et l'Écraseur que j'ai vus dans l'émission. Il lui manque une scie tournante déchireuse d'acier, un harpon, un revêtement blindé... mais si on réussit à le faire fonctionner comme on veut, ce sera quand même cool. Par contre, j'ai un gros problème. Je ne m'y connais pas du tout en robotique. Et c'est la passion de Justin et de Gregory. Il va falloir que je me mette à niveau et vite. Je farfouille un peu dans les objets hétéroclites qui occupent le garage. Pour moi, un circuit imprimé n'est pas très différent d'un autre. Je sais me servir de la soudeuse, mais je ne sais pas ce qu'il faut que j'en fasse. Je trouve les plans du robot dans l'ordinateur. Je n'y comprends pas grand-chose...

La porte d'entrée s'ouvre.

– Just?

On dirait que Greg est à ce point mon ami qu'il peut entrer chez moi sans sonner. En plus, il est en avance. Ça m'irrite un peu, mais, après mes deux sauts d'hier, la compagnie me fera du bien.

– Dans le garage, lui réponds-je.

Greg apparaît. Il a dans le regard une interrogation, un restant d'inquiétude de la veille. Je souris.

– Je vais bien.

Il sourit à son tour.

– Tant mieux ! On va pouvoir continuer, alors ? Hier, avant de rentrer chez moi, dit-il tout excité, je suis passé par le magasin d'électronique et devine ce qu'ils avaient ? ÇA !

Il me présente triomphalement un boîtier rectangulaire en plastique. Je ne sais pas trop quoi dire.

– Depuis le temps ! ajoute-t-il.

– Ouais, super !

– À toi l'honneur, me dit Greg solennellement en me tendant l'objet.

Je sais qu'on espérait cet objet que nous avions de la difficulté à trouver, mais de là à me souvenir de sa fonction et surtout de la façon de l'installer... Je prends le machin dans mes mains, le tourne et le retourne en fouillant désespérément dans ma mémoire. Rien. Je l'ouvre et découvre un circuit imprimé avec quatorze broches métalliques et un connecteur USB. Mais ça ne m'aide pas vraiment. Je redonne le tout à Greg.

– C'est toi qui l'as trouvé, c'est toi qui l'installes.

– Mais... non ! Le microcontrôleur, c'était ton idée. C'est toi qui dois t'en charger, c'est la règle, murmure mon ami.

La règle ? Quelle règle ?

– Écoute, je sais... mais je ne file pas encore super bien, alors... j'aimerais mieux que tu le fasses à ma place.

Greg me dévisage avec des yeux ronds. Il semble que, même sur son lit de mort, Justin aurait tenu à faire ça lui-même. Mais je ne suis pas Justin. Greg prend le bidule, me jette encore un coup d'œil inquiet, puis se dirige vers notre robot et se met à la tâche. Je m'assois et l'observe un instant. Je me sens inutile et idiot, je préférerais être seul, finalement. Je dois trouver un moyen de laisser tomber ce projet. Impossible de prétendre très longtemps que je sais ce que je fais. Pendant que je tente de trouver une solution à mon problème, Pénélope vient faire son tour dans l'atelier. Elle m'ignore et se rend directement à côté de Greg à qui elle fait la fête tout en me lançant des regards furtifs. Je rêve ou elle me nargue ? Je suis content que Pénélope ne soit pas un pitbull ! Les golden sont sympas avec tout le monde en général, même avec les intrus. Mon ami s'interrompt un instant pour flatter le chien qui reste près de lui.

– Bizarre. Elle ne me colle jamais autant d'habitude... Qu'est-ce qui lui prend ?

– Je ne sais pas... Elle s'ennuie de mes parents, peut-être ?

Je dis n'importe quoi.

– Ben voyons, Pénélope se fiche complètement de tes parents ! Elle n'en a toujours eu que pour toi !

Greg scrute mon visage, il tente d'y lire quelque chose. Il est intrigué.

– Elle a dormi dans ton lit hier soir? me lance-t-il.

– Évidemment!

Ce n'est pas vrai, bien sûr. Pénélope n'a pas mis la patte dans ma chambre. Elle est passée deux fois devant la porte en reniflant avant que je m'endorme, mais elle n'est pas venue me rejoindre. Greg semble rassuré par ma réponse. Je décide de pousser plus loin.

– Pourquoi tu me poses la question?

– Je ne sais pas, fait-il, embarrassé. Après ce qui s'est passé hier...

– Quoi?

– Ben... Non, rien.

Greg se remet au travail. Pénélope se couche à ses pieds, la tête appuyée sur ses pattes de façon à garder un œil sur moi. Mon ami la contemple un instant, songeur, puis prend le microcontrôleur et l'insère à l'intérieur du robot. Il se prépare à faire les branchements en reliant chacune des bornes métalliques aux fils du robot. Je m'approche. Je me souviens, je sais comment l'installer! Je n'aurai pas l'air si bête, finalement. C'est l'occasion d'effacer les doutes de Greg.

– C'est trop nul que je ne le fasse pas. Donne.

– Je le savais que tu ne pourrais pas résister !

Il me tend les pinces minuscules. Je vois dans ma tête l'emplacement exact des fils sur les bornes. Je laisse aller mes mains, observateur, impressionné par mon savoir-faire.

– Voilà ! dis-je fièrement.

Greg regarde le branchement.

– Tu as inversé les broches de raccordement de la batterie. Il fallait les insérer dans les barrettes mâles Gnd et Vin du connecteur POWER !

Finalement, j'aurais peut-être dû le laisser faire.

– Ah ouais... Oups !

Je corrige mon erreur. Son visage est fermé, sévère.

– Et la connexion USB ? me demande-t-il.

Je lis la méfiance dans ses yeux. J'ai gaffé. Je voulais à tout prix montrer que je savais ce que je faisais mais c'était une connerie. Enfin, pas complètement, mais disons qu'à un examen, j'aurais eu 50 %. C'est pas mal pour un gars qui ne connaît rien aux robots, mais pour un pro, ce n'est pas acceptable. Qu'est-ce qui m'a pris ?

– Peut-être qu'on devrait continuer un autre jour ? lui dis-je.

– Comment as-tu pu faire une erreur pareille ? C'était pourtant simple comme branchement. Le genre de truc que tu fais les yeux fermés.

– Je n'ai pas vraiment la tête à ça.

– Mais c'est une erreur de débutant, insiste-t-il. Ma cousine de huit ans aurait réussi !

– Ah oui ? Sauf que ta cousine, elle n'a pas fait une crise d'épilepsie hier. J'ai encore mal partout et je n'arrive pas à me concentrer.

Greg commence à m'énerver. J'ai envie d'être seul. Je sors de l'atelier. Il me suit.

– Je le savais que j'aurais dû appeler le 9-1-1 !

– Qu'est-ce que ç'aurait changé ? Je devrais être hospitalisé parce que je n'ai pas connecté le fil de la bonne couleur ?

– C'est clair que ça ne tourne pas rond dans ta tête !

Je résiste à la très forte envie de le jeter hors de la maison. Trop brusque. Je ne peux pas faire ça. Disons que, dans le genre insistant, Greg ne cède pas sa place. Heureusement, il se rend compte qu'il est allé trop loin.

– Oublie ce que je viens de dire. Tu es juste... un peu bizarre.

– Merci, dis-je sèchement.

On reste plantés dans le corridor, embarrassés.

– On... on joue à ta console ? me demande Greg. J'ai apporté *Zombies vs Pirates*.

Les consoles, c'est dans mes cordes bien plus que les robots ! J'hésite. J'ai besoin de solitude et je le sais. Sauf que si je pouvais améliorer le climat entre nous deux, ça m'aiderait beaucoup pour plus tard.

– OK.

Gregory m'accompagne au salon. Après une demi-heure de jeu, j'ai 32 550 points de plus que lui.

– Comment peux-tu être aussi bon ? Tu n'as jamais joué à ce jeu !

Je ralentis la cadence pour qu'il me rattrape. Je laisse passer un pirate, puis un deuxième. Greg lance la télécommande sur le sofa et se lève.

– Hé, tu fais exprès de perdre !

– Ce n'est pas vrai !

– Je l'ai vu ! Tu me mens, en plus ! rétorque-t-il, blessé.

– C'est quoi, ton problème ?

– C'est toi, mon problème ! Depuis ce matin, j'ai l'impression que tu fais semblant pour tout !

Je sens la frustration monter en moi.

– Tu racontes n'importe quoi, dis-je froidement.

– Et toi, tu me prends pour un imbécile, réplique-t-il.

Je n'en peux plus. La colère monte en moi comme un tourbillon bouillonnant. Il veut me provoquer ou quoi ? Pour qui est-ce qu'il se prend ? J'ai fait tout mon possible côté patience, mais là, je n'en peux plus. J'ai juste envie d'avoir la paix. Le calme, le silence, me retrouver seul avec moi-même, même si je ne sais pas trop qui je suis.

– Ça suffit ! Fiche le camp.

– Quoi ? lance Greg, sidéré.

– Va-t'en.

– Ton vœu va être exaucé !

Il ramasse son jeu dans la console et le met dans son sac. Il s'arrête sur le pas de la porte.

– J'espère que tu vas aller mieux. Ce... ce n'est pas toi, de réagir comme ça !

Il semble que ça prend un certain effort de contrôle à Greg pour résister à la tentation de me lancer à la figure un « Tu n'es plus mon ami ! », mais il n'ajoute rien et quitte la maison en claquant la porte. Je tourne le verrou. Je laisse échapper un soupir de soulagement. Enfin... Ça ne s'est pas passé comme je le voulais. Loin de là. J'aurais dû lui demander hier soir de ne pas venir, mais je me sentais seul. Je me sens toujours seul. Jamais personne à qui parler, à qui me confier. Ça me faisait du bien d'échanger avec quelqu'un. Je pensais que je pouvais assurer et qu'il n'y verrait que du feu. Que je pourrais profiter de son amitié pour Justin. C'est la seule façon pour moi de recevoir un peu de cette chaleur que les humains normaux tiennent si facilement pour acquise. Je ne reste pas assez longtemps dans un corps pour développer des relations par moi-même. Et je me sens d'autant plus imposteur que je dois prétendre auprès de tous ces gens que je suis le même. Encore une fois, je me suis prouvé que je n'étais pas assez vigilant. Tôt ou tard, on finit par me démasquer. Les dernières paroles de Gregory résonnent encore dans ma tête : « Ce n'est pas toi ». Et je suis qui, au juste ?

Je me retourne et je tombe face à face avec moi-même, dans le grand miroir de l'entrée. Je regarde ce corps qui me semble à peine familier. Je tourne la tête d'un côté, puis de l'autre. Je me colle le nez sur la glace et plonge mon regard dans celui de mon reflet, comme si je voulais être sûr que c'est bien moi, à l'intérieur. Oui, je suis là. Mais comment définir ce moi ? Hier encore, j'étais Alex, je me faisais bousculer, humilier, battre. Suis-je Justin ? Zed ? Évidemment, je suis Zed. Le seul nom qui m'ait suivi depuis le début. Je me suis donné ce nom pour ne pas devenir fou. Il m'est apparu comme une évidence, dès que j'ai été assez vieux pour comprendre ce que j'étais. Il est ma seule constance.

Je suis déçu de la tournure des événements de ce matin. J'aurais dû être bien meilleur que ça. Ce n'est pas évident de simuler qu'on est un autre, surtout pas en compagnie de quelqu'un qui le connaissait si bien. J'ai accès à beaucoup des souvenirs appartenant à Justin. Mais je ne suis pas lui. Sa personnalité m'échappe. Il me faut du temps pour recoller les morceaux, faire des liens entre eux, les utiliser comme il faut. Avec les années, j'ai appris à être un caméléon, à me fondre dans le décor. Je dois malheureusement éloigner ceux qui sont trop près, me replier sur moi-même, m'isoler quelque temps. Greg a l'air plutôt cool comme ami, mais je n'ai pas le choix. J'aurais préféré qu'il n'assiste pas à mon arrivée. Je sais qu'il va constamment revenir sur cet incident, qu'il va comprendre que c'est le point tournant de mon changement de personnalité. J'anticipe très bien la suite, pour l'avoir vécue trop souvent... Mes parents commenceront par être intrigués par mon changement d'attitude, puis ils seront de plus en plus inquiets. Ils penseront que quelque chose ne va pas. Qu'ils doivent m'aider à redevenir celui que j'étais avant. C'est peine perdue. Je ne serai jamais plus leur petit Justin. Je suis Zed.

Mais qui est Zed ? Est-il la somme de tous les Alex, James, Ivan, Hussein et autres corps que j'ai habités ? Je n'ai pas de réponse à ça, je suis juste moi. Qu'arrive-t-il à tous ces êtres que j'ai expulsés de leur corps ? Où vont-ils ? Je ne suis pas certain, mais j'ai le sentiment que je devrais le savoir. Qu'il existe un lieu de rassemblement, une sorte de vie après la mort. Parfois, j'éprouve des sensations de flottement, je me remémore des impressions, mais c'est flou. Lorsque je change de corps, je suis persuadé que je *voyage* dans un lieu immatériel. Mais c'est un peu comme si mon souvenir souffrait d'une énorme myopie. Je suis une caméra qui voit flou et ça m'enrage. Dans ces souvenirs, je trouverais la clé de mon existence. Mais je n'y ai pas accès. Je me suis déjà demandé si je me sentais coupable d'avoir mis fin à la vie de toutes ces personnes. J'aime mieux ne pas y penser. Je préfère croire qu'ils réintègrent leur corps après mon départ et que la vie continue pour eux. Et si ce n'est pas le cas, tous ces gens que j'ai connus lors de mon périple, je les ai fait souffrir terriblement. Toutes ces familles que j'ai aimées... Si le corps ne survit pas à mon départ, alors je suis l'un des plus grands tueurs en série de l'histoire. Zed, tueur en série. Et qu'aurais-je à dire pour ma défense ?

Je dois survivre, coûte que coûte.

- 3 -

Sofia rencontre Ibbi-Sîn, mort il y a quatre mille ans

Certains Sykrans attachés à un corps se rendent dans l'Exéité. Lorsqu'ils en reviennent, ils croient avoir fait un rêve étrange. Un petit nombre d'entre eux se déplacent consciemment entre les deux mondes, reliés à leur enveloppe charnelle par un mince fil d'argent. Si ce fil venait à se rompre, les Sykrans seraient séparés de leur corps qui mourrait instantanément.

Devoirs terminés, vaisselle faite, douche prise. Sofia regarde l'horloge. 20 h 30. Encore trente minutes et elle pourra aller se coucher sans inquiéter sa mère. Enfin ! Elle a attendu ce moment toute la journée. Après avoir ramassé son livre, elle se dirige vers le salon. Sa mère, Jo, s'y trouve déjà, confortablement installée sur le sofa à faire des mots croisés.

Jo lève les yeux. Elle sourit en regardant sa fille, une belle adolescente épanouie de seize ans. Comme le temps a passé vite, comme elle a grandi rapidement ! Bien sûr, Sofia a toujours été mature pour son âge. Même à trois ans, elle regardait les gens avec ces yeux profonds, intenses, résolument sages, comme si toutes les vérités du monde y étaient enfermées et qu'elle les avait déjà comprises... Jo a souvent été troublée par son regard, par ses remarques étonnamment profondes et réfléchies. Et aujourd'hui, la question ne se pose plus. Sofia est bel et bien une adulte. Tout dans ses gestes, son attitude et son indépendance le confirme. Sa mère doit encore signer des billets d'absence lorsque sa fille rate un cours, mais, depuis longtemps, celle-ci gère son petit budget et sa vie comme elle l'entend. Non pas que Jo soit particulièrement permissive, mais Sofia est si responsable... Jo a reconnu ses capacités très tôt et a toujours surveillé de près ses activités, mais jamais, absolument jamais, sa fille ne l'a déçue. Jo sent sa poitrine se gonfler de fierté. Elle aurait peut-être voulu que Sofia profite de son adolescence pour faire les folies d'usage. Elle est parfois trop sage, sort peu et ne s'intéresse pas aux garçons de son âge (qui pourrait l'en blâmer, après tout ?). Mais elle a des notes formidables. Tout ce que Jo souhaite pour sa fille, c'est qu'elle soit heureuse. Et elle semble l'être. Rayonnante, elle a le sourire facile et le succès au bout des doigts. Que demander de plus, que faire de plus que de constater qu'elle a une jeune fille accomplie sous les yeux ?

– Déjà en pyjama ? lui demande Jo.

– Je ne me coucherai pas tard, répond Sofia en s'étirant. Ça roule, tes mots croisés ?

– Pas mal. Et toi, il est intéressant, finalement, ton livre sur Babylone ?

– Fascinant. Tu sais que toute la civilisation mésopotamienne a été redécouverte il y a moins de deux cents ans ?

– Ça me fait penser...

La mère de Sofia va chercher son sac à main, sous les yeux intrigués de sa fille. Elle en sort deux billets.

– Je nous ai inscrites à une conférence qui aura lieu demain soir : « Le Proche-Orient antique, artéfacts et rites funèbres ».

Un large sourire se dessine sur le visage de Sofia.

– Tu sais que tu es la meilleure ?

– C'est sûr ! Combien de mères amènent leur fille à ce genre d'événement ? « Découverte d'une tablette d'argile dans le tombeau d'Ibbi-Sîn, cinquième et dernier roi de la troisième dynastie d'Ur. »

– Ça va être trop génial ! Merci !

Sofia serre sa mère dans ses bras. Puis, elle contemple le billet. Jeffrey Adam, professeur universitaire émérite en archéologie. Vraiment très intéressant. Peut-être qu'il pourra lui fournir quelques réponses? Ça fait si longtemps qu'elle cherche. Depuis aussi longtemps qu'elle se souvienne, en fait. Elle a toujours su qu'il lui manquait quelque chose et qu'elle devait le récupérer. Mais ces derniers temps, elle a senti qu'elle devait se hâter. Elle n'est pas seule à chercher et elle doit être la première à trouver.

– Bonne nuit! Je suis trop fatiguée pour lire, finalement. Et puis, je veux être en forme pour comprendre tout ça demain soir!

– Tu dors beaucoup, ces temps-ci...

Sofia ne répond pas, embrasse sa mère et va dans sa chambre. La pièce est assez grande et c'est une chance, parce qu'il y a suffisamment de livres et d'objets hétéroclites à l'intérieur de celle-ci pour meubler un appartement tout entier. On y trouve un futon, une table de cuisine transformée en zone d'étude et couverte de documents, ainsi que quatre bibliothèques débordantes de volumes et de bibelots, à tel point que Sofia a dû en entasser une partie en petites piles sur le sol, à côté. Il y a aussi un bureau à part, avec un ordinateur portable et une très grosse imprimante. Par terre, deux piles de papier recyclé. À la place des affiches de chanteurs ou de vedettes de films que l'on pourrait s'attendre à retrouver dans une chambre d'ado, des articles et des images sur les civilisations anciennes recouvrent les murs: Égypte antique, Nazca, Sumer, Mayas... La pièce n'est pas particulièrement en désordre, mais elle déborde de choses accumulées au fil des recherches de Sofia. Lorsqu'elle entre dans sa chambre, la jeune fille ressent toujours une forme d'enveloppement et de mystère, accentuée sans doute par l'odeur des livres et du papier. Comme si elle avait ouvert une multitude de petites portes potentiellement fascinantes et qu'il lui fallait maintenant toutes les explorer. Son lit, presque invisible dans la pièce surchargée, est placé dans un coin et caché par un paravent chinois. Sofia a besoin de dormir dans un espace isolé.

Avant de s'allonger, l'adolescente fait les cent pas dans sa chambre. Elle est trop excitée à l'idée de ce qui va suivre. Il lui faut réduire sa pulsation cardiaque, sinon elle n'y arrivera pas. Sofia s'étend enfin sur son lit, inspire et expire à un rythme lent et régulier. Toute son attention est dirigée vers cette unique tâche, pourtant toute naturelle, qui est de respirer. Lorsqu'elle a enfin réussi à se calmer, elle se concentre sur un point au centre de son front, juste entre ses deux yeux. Elle le visualise, y met toute la force de son esprit. Une pression se crée, subtile, légère. Comme si quelqu'un appuyait un index sur son crâne, d'abord doucement, puis de plus en plus fort. Elle pense toujours à l'air qui entre dans ses poumons. Inspirer, expirer. Puis, alors qu'elle est en mesure à la fois de contrôler sa respiration et la pression exercée sur son front, Sofia s'oblige à détendre chacun de ses membres. Elle commence par ses orteils, qu'elle finit par ne plus sentir. Vient ensuite le tour de ses jambes, puis de ses mains et de ses bras. Son souffle rythme le tout. Inspire, expire. Peu à peu, ses sensations s'estompent, elle se détache de son corps. Elle s'enfonce de plus en plus dans le matelas. Il lui devient impossible de lever le bras ou de bouger le pied. La pression sur son front la maintient clouée sur le lit. Ses pulsations sont lentes. Ça y est, elle a conscience d'une petite porte qui s'ouvre dans son esprit : c'est l'entrée. C'est par là qu'elle doit se rendre dans le monde inconnu. L'euphorie monte en elle, comme chaque fois qu'elle s'approche de son but, et la petite ouverture se referme. Mais elle apparaît de nouveau et Sofia sait que c'est le moment, qu'elle doit foncer maintenant. La jeune fille perd totalement conscience de son corps, de cette enveloppe dénuée de sens qui gît, là, sur le lit. Elle s'éloigne de sa chambre, elle flotte, elle se libère, elle vole, elle nage... Elle y est.

L'espace sans substance et pourtant empli d'une matière qui, pareille à un liquide épais, ralentit les mouvements, fait en sorte que tout s'arrête. Un flash blanc passe devant Sofia à une telle vitesse qu'elle ne voit pas de quoi il est composé. Mais elle sait que cette lumière est un être. Un être libre qui ne vit que dans cette matière qui l'entoure. Ceux qui viennent dans ce monde tout en étant liés à un corps terrestre sont suivis d'un mince arc électrique, un fil d'argent qui les relie au néant, à un trou minuscule dans la matière du monde. Ils rayonnent d'un éclat plus bleuté. Ça lui a pris beaucoup de temps à s'en rendre compte, mais maintenant elle les reconnaît. Sofia prend le temps d'être dans ce monde, de le sentir, de le vivre. Elle se déplace, avance lentement, et voit des éclairs d'énergie qui filent à toute allure. Elle se concentre sur l'un d'eux. Il ralentit peu à peu. Mais elle est incapable de le retenir et il lui échappe.

Encore des flashs. Un des êtres bleutés, lié à un corps lointain par son cordon d'argent, ralentit et s'arrête devant elle pour la contempler. Il est fasciné par la très forte énergie qui se dégage de Sofia. Une énergie comme il n'en a jamais vu, si belle, si pure, si puissante... En fait, il ne regarde pas vraiment Sofia, puisqu'il n'a pas d'yeux, mais il la sent, c'est ainsi que son cerveau interprétera ses souvenirs par la suite. Le temps s'arrête un instant. Les deux créatures se font face.

Sofia perçoit la chose, qui semble flotter devant elle, en suspension dans le temps, dans l'espace. Cette créature est dotée de multiples tentacules et d'une transparence qui lui donnent un air de méduse. Les deux êtres ressentent la présence l'un de l'autre. Ils enroulent leurs tentacules, délicatement. En s'effleurant, en se touchant ainsi, ils partagent un bref instant un lien qui leur permet d'échanger. Ce sont des images rapides, successives, qui passent de la conscience d'un individu à l'autre. L'adolescente est mitraillée de scènes de la vie de ce corps étranger. Elle voit sa maison, certains de ses amis. C'est une fille. Un peu plus âgée qu'elle. L'espace d'un moment, elle devient cette inconnue. Elle se gonfle de ses émotions. Elle ressent ses joies et ses peines, sa solitude. Puis, aussi instantanément qu'elle était arrivée, la créature disparaît dans un éclair bleu.

Sofia se retrouve seule, encore pleine de la vie de l'autre. Elle part à la recherche d'un nouvel être à sonder, dont elle pourra partager l'expérience, les émotions. Elle sait qu'elle se souviendra de tout à son réveil. Pourtant, son corps lui semble si abstrait en ce moment, si loin d'où elle se trouve... Encore un flash, puis un autre. Elle les laisse passer. Elle se concentre sur la matière qui l'entoure, elle sent son épaisseur, sa friction sur son corps qui n'en est pas un.

Tandis qu'elle reste là à baigner dans cet environnement, Sofia sent soudain une menace. Une ombre couleur de feu s'approche. Elle la connaît. Elle la hait et la craint. Tiraillée entre une forte envie de rester et d'affronter cet être énorme et puissant, et celle de quitter cet endroit au plus vite, la jeune fille hésite un instant, sentant la menace orangée croître. Elle doit partir. Le temps de l'affrontement n'est pas encore venu. C'est trop dangereux. Une peur instinctive la saisit et la paralyse. Fuir. Maintenant !

Et brutalement, Sofia se redresse dans son lit en prenant une profonde inspiration, comme si elle avait eu le souffle coupé tout ce temps-là. Ses yeux sont grand ouverts, son âme se réhabitue à habiter son corps. Elle a froid. Oui, Sofia est bien de retour dans sa chambre. C'est la première fois que le monstre la retrouve si rapidement. Le temps presse, plus que jamais.

✧ ✧
✧

– C'est à Ur, au cœur de l'ancien empire mésopotamien et plus exactement dans la ziggourat de Tell al-Muqayyar, que nous avons découvert un tombeau inviolé, intact, qui a survécu à quatre mille ans de pillage et d'érosion. Bien entendu, la tombe était remplie d'objets fabriqués principalement en or et en cuivre, créés grâce au savoir-faire des Sumériens en métallurgie. Mais notre découverte la plus surprenante a sans aucun doute été une série de tablettes d'argile détaillant de façon extraordinaire les rites funéraires qui permettaient d'accompagner le mort dans l'au-delà.

Sofia écoute le conférencier, distraitement d'abord, encore troublée par ce qu'elle a vécu la veille. Son esprit ne cesse de revenir à cette puissante créature de flammes qui fonçait droit sur elle. Que lui veut-elle ? Qui est-elle ?

– Ces tablettes ont été traduites et déchiffrées. Elles nous en apprennent beaucoup sur les mentalités de l'époque. Les Sumériens croyaient fermement en l'au-delà, à une dimension supérieure à la nôtre, qu'ils appelaient « l'Exéité ». Ce monde est remarquablement détaillé.

Les paroles du conférencier se mettent brusquement à résonner dans la tête de l'adolescente, comme un écho de ce monde familier pour lequel elle n'a jamais trouvé de nom satisfaisant, malgré toutes les recherches qu'elle a pu faire. Ce n'est pas le paradis, ni l'enfer, ni le monde astral. Ou peut-être est-ce les trois, mais les descriptions faites ne sont jamais entièrement représentatives. Alors même qu'elle se demande qui sont toutes ces créatures et quel est cet endroit magnifique et terrible, Sofia a la soudaine impression que Jeffrey Adam s'adresse directement à elle.

– Il semblerait que des Sykrans y évoluaient, sorte de méduses intangibles, qu'on pourrait décrire comme des êtres de pure énergie.

Les yeux de Sofia s'agrandissent, elle ressent un mélange de terreur et de profonde excitation. On dirait que le professeur lit en elle ! L'inconfort que cela lui procure est éclipsé par la certitude qu'elle va enfin avoir des réponses à ses questions.

– Au moment du décès, alors que le Sykran du mort devait retourner à l'Exéité, les membres de sa famille organisaient une veillée funèbre très particulière. Les participants poussaient des cris de douleur, pleuraient et gémissaient. Leurs plaintes étaient accompagnées par une musique produite par des instruments à percussion. Il semblerait que les parents du défunt plongeaient ensuite dans une sorte de transe provoquée par l'ingestion de graines de pavot blanc, ce qui leur permettait de suivre le mort et de faciliter sa transition vers l'au-delà.

Le corps de Sofia se fige, tendu comme un arc, en attente de plus. Son attention est complètement rivée sur le conférencier, à tel point qu'elle ne remarque pas que sa mère l'observe curieusement. Celle-ci a senti le changement de comportement de sa fille et elle est intriguée. Elle s'est toujours demandé quel était le moteur de cette passion frénétique de Sofia pour l'archéologie et les civilisations anciennes. Mais, chaque fois qu'elle a voulu en savoir plus, qu'elle a sondé sa fille, celle-ci a évité de répondre et a changé de sujet. Jo a dû se résigner au fait que Sofia ne souhaite pas partager ce secret avec elle.

– Voici une pièce, de la taille d'un vingt-cinq cents, qui était placée sur le front du roi Ibbi-Sîn. Sa signification demeure un mystère. Nous n'avons trouvé aucune inscription sur la pièce, ni aucune référence y faisant allusion sur les tablettes. Il y avait également une amulette autour du cou du mort. Comme vous pouvez le voir à l'écran, c'est un bijou d'albâtre sculpté en forme de méduse. L'ensemble du rituel aidait le défunt à communiquer avec les autres Sykrans dans l'Exéité. Tout était fait pour faciliter son adaptation à ce nouvel environnement.

Le cœur de Sofia bat à tout rompre. Il lui faut cette amulette. Absolument !

– Les écrits nous montrent que les Sumériens avaient une iconographie et un mysticisme très développés. Et ce n'est qu'un début. Grâce à des photographies infrarouges prises à partir de satellites, nous avons bon espoir de retrouver d'autres tombeaux oubliés et d'autres artéfacts qui nous permettront de valider et de compléter les informations présentes sur les tablettes de Tell al-Muqayyar.

La conférence prend fin. Sofia tente de se calmer pour ne pas alerter sa mère, mais elle n'y parvient pas tout à fait.

– Je dois aller lui parler, fait-elle, anxieuse.

– Pas question, Sofia. Il est tard, tu as de l'école demain et je dois me lever tôt.

– Ce ne sera pas long, je *dois* lui parler.

– Il y a déjà une quinzaine de personnes qui attendent pour le voir, on en aurait pour une heure !

– Je vais à la salle de bain, lance Sofia d'une voix sans appel en s'esquivant.

L'adolescente s'enferme dans un cabinet et fouille dans ses poches. Fébrile, elle en sort un petit carnet. Elle griffonne à la hâte sur une page qu'elle déchire. Elle sort ensuite des toilettes comme si de rien n'était. Sa mère l'attend à la porte. Sofia passe devant elle sans s'arrêter et marche d'un pas rapide vers le conférencier.

– Sofia !

La jeune fille accélère le pas. Elle dépasse tout le monde et se retrouve face à face avec Jeffrey Adam. Elle lui tend le papier plié en deux.

– Contactez-moi, lui dit-elle avant de se détourner pour aller rejoindre Jo.

Le professeur la regarde, intrigué. Il déplie la feuille qu'elle lui a mise entre les mains et la lit, tandis que la personne devant lui s'extasie sur la qualité de sa conférence et des informations qu'il a fournies. Jeffrey ne l'écoute pas. Il lui sourit pour la forme, mais il n'a aucune d'idée de quoi parle l'autre. Il fixe la porte de l'auditorium, par laquelle Sofia est disparue avec une femme plus âgée, probablement sa mère. Sur le papier, il est écrit :

« Je connais le monde dont vous parlez. J'ai vu les Sykrans. Aidez-moi et je vous dirai tout ce que je sais. » Le message est suivi de l'adresse courriel de Sofia.

- 4 -

Questions et réponses de l'archéologue

Les yeux brillants, Sofia dévore du regard tout ce qui l'entoure. Elle doit se pincer pour être bien sûre qu'elle ne rêve pas. Elle est assise dans le bureau du professeur Jeffrey Adam, le conférencier. Il est là, devant elle ! Elle est à l'université ! Sofia est surtout impressionnée par les livres, les cartes topographiques, les artéfacts et les feuilles de toutes sortes s'entassant ici et là ou tapissant les murs. Visiblement, Jeffrey travaille à l'ancienne, tout comme elle. Il a bien un ordinateur, mais il ne semble pas l'utiliser très souvent, si l'on considère la pile de papiers et de livres qui cache la moitié de l'écran et la totalité du clavier.

Un long silence s'installe. Ni l'un ni l'autre ne sait comment entamer la conversation qui leur tient tous les deux à cœur. Sofia observe la pièce, Jeffrey la dévisage. Lui apportera-t-elle réellement quelque chose ?

– En tout cas, si tu voulais piquer ma curiosité, tu as réussi !

– Je sais... Il fallait absolument que je trouve un moyen de vous revoir, explique Sofia, embarrassée.

– Ce que tu as écrit, ce n'est pas vrai ?

– Oui, oui, tout est exact ! Enfin, je n'avais jamais entendu le nom « Sykran » avant, mais je suis sûre qu'on parle de la même chose.

– Si tu commençais par t'expliquer ? propose l'homme, sceptique.

Sofia prend une profonde inspiration. Elle n'a jamais parlé de ce monde à quiconque auparavant. Elle ne sait pas comment mettre des mots sur ce qu'elle y voit. Mais il faut à tout prix qu'elle convainque le professeur qu'il s'agit d'un seul et même endroit, et qu'il doit tester l'amulette d'albâtre avec elle. Si la jeune fille réussissait à mieux communiquer avec ces choses, ces Sykrans, ça pourrait tout changer. Elle aurait enfin une idée plus précise de ce qu'elle cherche. Mais Sofia n'est pas certaine que ce soit une bonne idée de se confier au professeur. Elle tente de lire dans ses yeux s'il est digne de confiance. Il a environ cinquante ans, le front haut, l'œil vif, un corps athlétique pour quelqu'un de son âge. Le visage buriné d'un explorateur. Ce n'est pas un homme de bureau, mais de terrain... Après tout, si Sofia est venue, c'est pour lui parler. Pour lui dire ce qu'elle sait. Elle peut peut-être simplement laisser de côté sa motivation pour le moment. Il sera toujours temps de raconter cela plus tard.

– C'est un peu difficile à comprendre, commence Sofia.

– Les problèmes complexes, ça me connaît.

– Je ne sais pas trop par où commencer.

– Tu m'as dit que tu connaissais le monde que j'ai présenté à la conférence. Tu parles de celui que le défunt rejoignait après sa mort ? L'endroit que les Sumériens appelaient l'Exéité ?

– Oui. Enfin, je crois, ajoute Sofia, hésitante. Voilà. Je suis capable de plonger dans un sommeil ou une sorte de transe, si vous voulez, qui me permet d'accéder à un univers étrange. C'est flou, c'est plein d'une sorte de liquide ou de gel qui n'en est pas vraiment un parce que je ne peux pas le toucher, et dans lequel je n'ai pas besoin de respirer. Je n'ai pas d'yeux, je ne vois pas ce qui se passe, je le ressens. C'est comme une vibration, une émotion. C'est très fort.

L'homme écoute Sofia avec étonnement et son intérêt pour ce qu'elle lui raconte croît à mesure qu'elle décrit le monde des morts.

– Continue.

– Dans cette Exérité, il y a...

– Exéité, la corrige le professeur.

– Oui, c'est ça. Il y a des créatures qui se promènent. Elles se déplacent, mais elles n'avancent pas. Elles sont exactement comme vous avez décrit les Sykrans. Des méduses composées d'énergie. Un peu comme si la matière qui les entoure s'était concentrée en un point, s'était organisée pour former ces êtres. Je suis l'un d'eux. Je crois que nous sommes tous des Sykrans, mais que ce ne sont pas tous les gens qui peuvent se rendre là-bas et s'en souvenir. Certains d'entre nous avons un corps et d'autres flottent sans but dans la matière étrange de l'Exéité.

Sofia a dit tout cela d'une traite, en regardant ses mains. Elle se tait maintenant, terriblement gênée. Que va-t-il donc penser d'elle ? C'est si absurde, mais, en même temps, ça ressemble tellement à ce que l'homme a décrit lors de sa conférence... Le silence est pesant. Sofia lance un coup d'œil furtif en direction du professeur. Elle surprend son regard étonné, fasciné, fixé sur elle.

– Comment... sais-tu tout cela ? commence-t-il.

– Je vous l'ai dit, je me rends dans ce monde presque tous les soirs.

– Pourquoi es-tu capable de t'y rendre ? Comment l'as-tu découvert ? Tu prends de la drogue ?

– Non ! Pas du tout !

– Des médicaments ? insiste Jeffrey.

– Je ne prends rien.

– Comment fais-tu, alors ?

– Je l'ignore, avoue Sofia. Je m'y promène comme ça depuis que je suis toute petite. Probablement depuis que je suis née, en fait. Au début, je ne contrôlais pas mes voyages. Je ne pouvais pas y aller quand je le décidais, mais je m'y retrouvais malgré moi, quand même assez souvent. J'ai fini par apprendre des techniques de relaxation qui me permettent de me rendre dans ce monde à volonté.

Le professeur se remet lentement du choc qui l'a secoué en entendant les paroles de Sofia. Il est visiblement très excité, ses yeux sont brillants.

– Il faut que tu me montres ça ! J'ai étudié toute ma vie les rites funéraires et je crois que l'Exéité pourrait bien être ce qui est décrit comme l'au-delà, le passage, la vie après la mort. Je veux tout savoir !

– Je pourrais vous en dire bien plus si vous m'aidiez.

– Tu t'attends à quoi de moi ?

– Ces êtres, ces Sykrans..., commence Sofia lentement, je ne comprends pas leur langage.

– Mais tu échanges avec eux ?

– Oui et non. C'est difficile à décrire... C'est un peu comme si nos deux énergies entraient en contact et qu'il y avait une sorte de transfert. Je détecte ce qu'ils vivent et ils ressentent probablement mes émotions aussi. Mais je n'arrive pas à contrôler ce que je leur transmets, ni à déchiffrer réellement ce qu'ils veulent me dire.

– Tu n'es pas capable d'organiser la communication...

– Exactement ! Et je crois que l'amulette en forme de méduse dont vous avez parlé m'aiderait peut-être...

L'homme se lève brusquement. L'adolescente sursaute. Il se met à marcher de long en large dans son petit bureau, tournant pratiquement en rond. Sofia voit qu'il pense à toute vitesse. Il est agité, fébrile. Le cœur de la jeune fille bat à tout rompre. Si seulement il acceptait de lui faire porter l'amulette, rien qu'une fois !

– Malheureusement, dit-il, je n'ai pas l'amulette. Le contenu de tous les tombeaux de la cité d'Ur se retrouve au Musée d'Irak, à Bagdad.

La déception de Sofia est perceptible sur son visage, dans toute son attitude. Elle courbe légèrement les épaules, sa tête retombe en avant. Le professeur n'a pas l'amulette. Elle lui a tout dit, mais il ne peut rien faire pour elle.

– De toute façon, je ne suis pas certain qu'elle soit la clé, poursuit Jeffrey.

Le cœur de Sofia se remet à battre rapidement.

– Si tu te souviens, il y avait plusieurs éléments dans la cérémonie funèbre, explique le professeur en recommençant à faire les cent pas. L'amulette, oui, mais aussi la musique, les plaintes, le pavot blanc, la pièce sur le front, la façon dont était disposé le mort, les vêtements qu'il portait... Il faut essayer ces items un par un. Si ça ne fonctionne pas, nous les combinerons. Ça fera beaucoup d'essais et d'erreurs... Si seulement je pouvais me rendre dans l'Exéité ! Ce serait tellement plus facile...

– Un peu comme les membres de la famille qui accompagnaient le défunt ?

Jeffrey Adam s'arrête de tournoyer tout à coup. Il reste figé un instant, puis s'approche précipitamment de l'adolescente.

– Je veux tenter quelque chose. On a un laboratoire pour faire des tests sur le sommeil, ici, à la Faculté de médecine. Je suis certain que je pourrais obtenir un lit pour toi, un soir. J'aimerais mesurer tes paramètres, voir ton comportement lorsque tu entres en transe. Alors, peut-être que je pourrais...

Jeffrey s'interrompt.

– Quoi ? avance Sofia.

– Mieux comprendre. J'ai une théorie, mais je ne suis pas sûr. Tu permets que je voie si c'est possible ?

– Euh, d'accord. Je vais demander à ma mère si c'est correct.

– Parfait ! s'exclame Jeffrey, tout excité.

L'homme se place devant la fenêtre de son bureau et regarde fixement vers l'extérieur. Il demeure ainsi un long moment. Sofia se lève, hésitante. Elle croit que la rencontre est terminée, mais on dirait que Jeffrey l'a oubliée. Il est totalement absorbé et marmonne tout bas.

– Professeur Adam ? hasarde-t-elle.

Jeffrey se retourne brusquement.

– Oui, oui, excuse-moi. Je te rappelle dès que j'ai des nouvelles.

Il se retourne vers la fenêtre. La jeune fille ramasse son manteau sans un mot et quitte le bureau.

– Ferme la porte derrière toi, s'il te plaît ! lance Jeffrey.

Sofia obéit et reste un moment dans le corridor, perplexe. Elle n'est pas certaine de ce qui vient de se passer. Visiblement, le professeur l'a crue. Mais elle ne pourra pas utiliser l'amulette. Il a sans doute raison, ce n'est probablement pas le seul élément qui entre en ligne de compte. Mais elle avait fondé tant d'espoirs dessus... Et ces essais que Jeffrey compte faire risquent de prendre beaucoup de temps. Qu'est-ce que le professeur va lui apporter, en fin de compte ? Elle lui a dit ce qu'elle savait, elle va faire des tests pour lui, mais que va-t-elle en retirer ? D'un autre côté, c'est la première fois depuis longtemps qu'elle a l'impression d'avancer. Elle sent qu'elle est près de découvrir un moyen de communiquer avec les autres Sykrans, et d'en apprendre un peu plus sur la menace qui habite l'Exéité et qui semble la poursuivre chaque fois qu'elle y pénètre. Sofia décide de faire confiance à Jeffrey. Il a l'air de savoir où il s'en va. Elle repart d'un pas léger, attendant déjà son appel avec anxiété.

Jeffrey est toujours devant la fenêtre. Il réfléchit, il espère. Son esprit vagabonde, se souvenant des artéfacts qu'il a trouvés dans le tombeau d'Ibbi-Sîn. Il suit des yeux la petite silhouette au manteau rouge qui sort du bâtiment et s'éloigne lentement, recroquevillée sur elle-même pour se protéger du froid. Sofia. Comment cette enfant peut-elle posséder une faculté aussi extraordinaire ? Comment peut-elle évoluer avec autant de facilité dans ce monde fantastique dont il a toujours rêvé de percer les secrets, sans succès ?

Toute sa vie, il n'a jamais cessé d'apprendre, de tenter de comprendre, d'explorer les tombeaux les plus obscurs à la poursuite de son rêve. Et voilà que la jeune fille vient lui apporter la réponse à ses questions sur un plateau d'argent. Elle lui offre non seulement la possibilité de voyager dans l'au-delà, mais aussi tout son savoir accumulé depuis des années d'exploration. Il pourra utiliser tout cela, une fois qu'il se sera assuré que les moyens d'accéder à l'Exéité sont efficaces.

Il imagine déjà l'effet que la publication de son article aura auprès de ses pairs. Il sera celui qui ouvrira la porte vers un nouveau monde, alors que presque tout a déjà été découvert sur la terre. Jeffrey Adam, premier scientifique à trouver cette corne d'abondance encore pratiquement vierge et inexplorée. Il sera l'homme de l'année, il se retrouvera en page couverture de tous les magazines scientifiques prestigieux, sa découverte fera sensation non seulement dans les milieux scientifiques, mais dans la population tout entière... Qui n'a pas rêvé un jour de savoir ce qu'il y a après la mort ? Quel archéologue d'importance n'aurait pas souhaité percer, à un moment de sa carrière, ce mystère de tous les âges ? Jeffrey va entrer dans l'histoire. Son nom va résonner dans toutes les classes de sciences, du primaire au doctorat, comme celui d'Isaac Newton.

Soudain, l'homme aperçoit son reflet dans la vitre. Il contemple un instant son visage fier et tanné. Il voit un sourire rêveur et satisfait se dessiner sur ses lèvres. Oui, cette fille va lui apporter beaucoup.

- 5 -
Jeffrey se drogue à l'opium

Dip, dip, dip. Une ligne verte se trace, spasmodique. Au moment de chaque contraction, une petite montagne est tracée, accompagnée d'un son, *dip.* Autre pic, *dip.* Le rythme est régulier, assez rapide. *Dip, dip.* La ligne verte se dessine sur un moniteur d'un autre âge. Le professeur Jeffrey Adam le regarde de près. Il parle dans un petit enregistreur numérique.

– Heure : 15 h 35. Rythme cardiaque : 82 par minute. Fréquence respiratoire : 16 par minute. Température corporelle : 36,7° C.

Il se penche au-dessus du lit situé à côté du moniteur.

– Tout va bien ?

Dix civières sont alignées les unes à côté des autres, dans une pièce faite en long, blanche, médicale. Rigidité et froideur se dégagent de la symétrie trop rectiligne des néons disposés au plafond et des lits juste en dessous. Un seul de ces derniers est occupé, par Sofia. Une odeur de désinfectant flotte dans l'air. La lumière est vive et agressante. La jeune fille doit plisser les yeux pour éviter d'être éblouie. Curieux, tout de même, que l'éclairage soit si fort, alors qu'on est dans une clinique du sommeil... Des petites languettes de plastique sont fixées sur son front et des fils courent sous sa jaquette d'hôpital. *Dip, dip, dip.*

– Ça va. Je crois...

Sofia est inquiète. Elle a accepté de venir, de se faire analyser alors qu'elle est en transe, mais elle a des doutes. Un malaise l'étreint. Elle a toujours fait cela dans l'intimité de sa chambre à coucher et doit maintenant s'exécuter en laboratoire... L'expérience lui paraît légitime, mais c'est une drôle de sensation que de se retrouver allongée, à peine vêtue, avec des trucs collés partout sur le corps. La jeune fille se sent vulnérable. Et elle s'apprête à entrer en transe. Sofia ne sait pas trop ce qui arrive à son corps pendant qu'elle voyage dans l'Exéité. Entendra-t-elle si on l'appelle ? Sentira-t-elle si on la touche ? Elle est rassurée de ne pas se trouver seule avec le professeur. C'est un homme respecté dans la communauté scientifique, mais il a ce petit je-ne-sais-quoi qui la fait douter. Par contre, l'autre, Thomas, le médecin résident...

Dès que Sofia l'a aperçu, dans le bureau de Jeffrey, sa poitrine s'est serrée, sa gorge s'est nouée et son cœur s'est pratiquement arrêté. C'est la première fois qu'un gars lui fait de l'effet à ce point ! Sofia n'a pas vraiment écouté Jeffrey quand il lui a expliqué que Thomas avait réussi, grâce à ses contacts, à réserver la clinique du sommeil pour eux seuls en fin d'après-midi et qu'il allait l'aider en participant à la prise de données. Ses yeux sont plutôt demeurés rivés sur le jeune homme qui se tenait dans l'embrasure de la porte devant elle. Sofia a été complètement séduite par le charisme foudroyant qui émanait de lui.

– Salut, a dit Thomas en tendant la main à Sofia.

Sofia l'a regardé, totalement prise au dépourvu. Elle est restée un instant figée, tandis que la main de Thomas demeurait tendue devant elle. Elle s'est rattrapée rapidement et l'a saisie en la secouant avec beaucoup trop d'enthousiasme.

– Enchantée ! Enchantée !

La honte. Mais, en tout cas, si Sofia a finalement accepté de tenter l'expérience, c'est uniquement grâce à Thomas. Il lui inspire confiance... tellement plus que le professeur ! Non, elle n'aurait pas aimé se retrouver seule avec Jeffrey. Tandis que Thomas...

Le problème, c'est que chaque fois qu'il s'approche d'elle, Sofia sent un frémissement lui traverser le corps et son cœur se met à battre plus vite. Malheureusement, le son de ses pulsations s'entend à travers la pièce, grâce au moniteur installé à ses côtés. *Dip, dip, dip, dip*. Elle doit se calmer, elle est trop embarrassée, elle voudrait tout débrancher !

– Professeur Adam ? Vous croyez qu'on peut éteindre le son ? J'ai... j'ai peur que ça nuise à ma transe.

– Je voudrais bien, mais j'ignore comment. C'est sûrement un de ces boutons-là, mais lequel ?

Thomas regarde le moniteur.

– Toutes les indications qu'il y avait à côté des boutons ont été effacées. Ce truc-là est une antiquité, il doit avoir votre âge, professeur !

Jeffrey hausse les sourcils. Sofia éclate de rire.

– Oh, excusez-moi ! Pour un appareil de ce type, même vingt ans, c'est vieux, alors..., marmonne Thomas.

Le jeune résident lance en direction de Sofia un coup d'œil furtif, amusé, si bref qu'il reste en suspens une fois disparu, créant un moment de complicité instantané. Sofia inspire profondément. Elle devra bientôt chasser sa nervosité et les distractions si elle veut accéder à l'Exéité. Mais il lui est difficile d'oublier qu'elle n'est pas dans son lit, chez elle. Qu'elle se trouve dans une pièce qui ressemble à une grande chambre d'hôpital, qu'elle est branchée de partout et que deux personnes l'observent et vont la filmer. Sans compter la présence de Thomas. Elle ressent ce qu'il dégage, cette force indéfinissable qui l'attire à lui... Sofia est certaine que les deux hommes ont compris la raison du changement de son rythme cardiaque. Elle tente de chasser sa paranoïa et se force à se rappeler pourquoi elle a approché Jeffrey Adam lors de la conférence et pourquoi elle a choisi de participer à cette expérience : elle doit apprendre à communiquer avec les Sykrans. Et cet homme est, jusqu'à maintenant, le meilleur moyen qu'elle ait d'y parvenir. L'adolescente oublie peu à peu où elle se trouve et se détend. Elle fait abstraction du blanc médical, des bruits et de l'odeur de javellisant qui l'entourent. Elle est plus calme maintenant. Peut-être va-t-elle y arriver, après tout... Un froissement de tissu près de son oreille lui fait ouvrir les yeux. Thomas est debout à côté du lit et la regarde avec un sourire. *Dip, dip, dip, dip.* Merde.

– Je ne voulais pas te surprendre, s'excuse Thomas.

– Euh... Je... j'étais perdue dans mes pensées.

– On est prêts, tous les systèmes sont plus ou moins en marche. Étonnant, vu leur vétusté, ajoute-t-il en haussant les épaules. Heureusement qu'on n'est pas obligés de t'opérer avec ce matériel, lance-t-il en lui jetant un clin d'œil si rapide que Sofia ne sait pas si elle l'a imaginé. Je te laisse maintenant, on va t'observer de la petite pièce de l'autre côté.

Thomas pose la main sur le bras de Sofia. Le cœur de celle-ci s'emballe. Elle le sent, elle *l'entend* qui se débat furieusement dans sa cage thoracique.

– Détends-toi, prends ton temps, je vais éteindre les néons. Bonne chance !

Thomas actionne un interrupteur, et la pièce se trouve plongée dans une lumière rougeâtre, émise par une série d'halogènes encastrés dans le plafond. C'est infiniment plus relaxant. Le jeune homme va rejoindre Jeffrey dans la salle d'observation où les données des moniteurs sont retransmises. Il s'assoit et observe les chiffres affichés sur les gros écrans cathodiques.

– Elle va réussir, tu crois ? lui demande Jeffrey.

– Je n'en sais rien. Elle est nerveuse.

– Ça, c'est parce que tu es là..., dit Jeffrey avec un sourire taquin.

– Qu'est-ce que vous voulez dire ? s'étonne Thomas.

– Tu n'as pas vu que tu lui faisais de l'effet ?

Le jeune homme est embarrassé par la tournure de la conversation.

– En plus, elle est mignonne ! ajoute Jeffrey.

– Professeur, elle a seize ans...

– Oui. C'est vrai. Juste seize ans. Elle a l'air plus vieille.

Jeffrey regarde pensivement Sofia à travers la fenêtre.

– C'est déjà commencé, annonce Thomas. Comment fait-elle pour se détendre si rapidement ?

Le résident saisit l'imprimé de l'électroencéphalogramme. Il regarde tour à tour le rythme cérébral qu'il a sous les yeux et Sofia qui est étendue, parfaitement immobile.

– Il doit y avoir un bogue avec l'appareil, poursuit-il. Il indique qu'elle émet à la fois des ondes alpha, signe de l'état d'éveil, et des ondes delta, signe d'une transe ou d'un sommeil profond. C'est impossible...

Le professeur ne répond pas, mais il sourit. Visiblement, il croit que c'est tout à fait possible.

– Température du corps ? s'enquiert-il.

– Encore normale à 36,5° C. Oh, elle vient de perdre un degré. C'est incroyable !

Jeffrey jette un œil rapide à sa montre. 15 h 52.

– Merveilleux, fait Jeffrey en s'approchant de la vitre qui le sépare de Sofia. Absolument merveilleux...

Pourvu que ça fonctionne ! Jeffrey sait qu'il a sous les yeux la clé pour aller dans l'Exéité. Après toutes ces années, il est sur le point de faire une découverte extraordinaire. Enfin, il va tous leur montrer... 35° C.

Jeffrey sent un petit frisson lui parcourir le corps. Il imagine déjà le moment où il deviendra célèbre. Où les gens le reconnaîtront dans la rue et le remercieront. 34,5° C. Ce n'est pas d'Einstein qu'on fera des affiches, mais de lui...

– Quelque chose cloche, s'inquiète Thomas. Personne ne peut abaisser volontairement sa température à ce point.

– Il y a des tonnes de cas de ce genre. Des personnes qui entrent dans une sorte de transe ou d'état second et qui ont les mêmes symptômes que Sofia.

– J'ai fait un peu de recherche avant que nous fassions l'expérience et je n'ai rien trouvé à ce sujet.

– Tu n'aurais pas dû manquer ma dernière conférence... C'est étonnant ce que nous avons découvert. La baisse de la température corporelle a été reconnue scientifiquement.

– Vous savez que j'adore vos conférences... et que j'y assiste chaque fois que je le peux. Mais j'étais en période d'examens.

– Tout est une question de priorités, dit Jeffrey, froidement.

Thomas dévisage un instant le professeur, incertain de ce qu'il a voulu dire. Était-ce une flèche à son endroit ? Lui qui est certainement l'auditeur libre le plus fidèle de ses conférences et un de ses plus grands fans ! Le jeune homme chasse l'idée de son esprit, elle est trop absurde. Il sourit à Jeffrey, mais celui-ci ne le regarde plus. Il a les yeux rivés sur quelque chose qui se passe derrière Thomas. Les traits de l'archéologue s'affaissent, ses yeux s'agrandissent et il pâlit littéralement. Thomas se retourne enfin pour constater par lui-même ce qui horrifie tant le professeur. Aussitôt, il arbore la même expression que lui. Sofia convulse sur son lit.

– Nom de...

Thomas se précipite vers la porte. Jeffrey lui barre la route.

– Qu'est-ce que tu fais ? Tu ne peux pas la réveiller !

Une alarme aiguë se met à sonner. *Biiiiip ! Biiiiip ! Biiiiip !*

– Vous ne voyez pas qu'elle est en train de mourir ? Sa température a chuté d'un coup à 28° C et elle est prise de convulsions. Personne ne peut survivre à 28° C. Il faut la ramener !

Thomas tente de contourner Jeffrey pour entrer dans la grande salle. Le professeur se remet en travers de son chemin. *Biiiiip ! Biiiiip ! Biiiiip !*

– Laissez-moi passer ! crie Thomas, paniqué, en s'agrippant à lui.

– Je ne peux pas faire ça, dit Jeffrey.

Il repousse violemment Thomas qui est projeté sur le sol, à l'autre bout de la pièce. Le jeune homme ne fait pas le poids contre Jeffrey, un chat de ruelle aux muscles tendus comme des nerfs. Surpris par la force de l'impact, Thomas reprend ses esprits, une douleur brûlante au cou, là où il a heurté le plancher en premier. Il est stupéfait d'avoir ainsi été agressé par son idole. Les deux hommes échangent un regard. L'alarme a cessé. Depuis quand ? Elle a dû arrêter un peu avant qu'il tombe. Ou alors un peu après ? Le résident se relève sans dire un mot en frottant son cou et se dirige vers les écrans. La température est stable à 28° C. La fréquence cardiaque est de douze battements par minute.

– Je te l'avais dit, fait le professeur.

Thomas ne prononce pas un mot. Ce n'est pas vrai qu'il s'agit là d'une « simple expérience sur les réactions du corps humain lors de transes légères », comme le lui avait assuré le professeur. Cette fille étendue devant eux ne devrait pas pouvoir vivre. La température de son corps s'est abaissée si vite, comme si le froid s'était généré *à l'intérieur* d'elle. Et Thomas n'a aucun doute que Jeffrey en sait plus long que ce qu'il a bien voulu laisser entendre au départ.

– Qu'est-ce que vous m'avez caché ?

Jeffrey garde le silence. Il laisse Thomas passer quand celui-ci décide de franchir la porte et il le suit dans la grande salle. Le jeune homme s'approche de Sofia et lui touche le bras.

– Elle est glacée ! s'exclame-t-il.

Il vérifie ses pupilles. Elles sont réactives.

– Comment ses pupilles peuvent-elles réagir à la lumière alors que son corps est à cette température ? dit-il, songeur. C'est une invraisemblance scientifique.

Thomas sort une seringue d'un emballage stérilisé et fait une prise de sang à Sofia. Il place ensuite le tube de prélèvement sur un plateau à côté du lit.

– Il faut que tu fasses autre chose pour moi.

Thomas se retourne, surpris.

– Je m'excuse, poursuit Jeffrey. Je n'aurais jamais dû t'empêcher de passer, mais j'avais tellement peur que tu fasses tout rater.

– Et si vous me disiez exactement ce que j'aurais fait rater ? Vous avez négligé ce détail, réplique Thomas, les bras croisés.

Jeffrey hoche la tête et retourne dans la pièce de contrôle. Il s'assoit et soupire profondément. Visiblement, ce qu'il s'apprête à dire lui pèse terriblement. C'est un brin théâtral, mais Thomas ne s'en rend pas compte. Quand le professeur constate qu'il a toute l'attention du jeune homme, il se met à parler, à expliquer comment il a découvert le monde de l'au-delà. Comment ce monde, l'Exéité, est décrit et comment des êtres de pure énergie se battent pour posséder les corps humains...

– Ce ne sont que des suppositions, lance Thomas.

– Ce *n'étaient* que des suppositions, jusqu'à ce que je rencontre la petite.

– Vous voulez dire qu'elle est capable de voyager là-bas ? Vous croyez qu'elle y est en ce moment ?

– Exactement.

– Qu'est-ce qui vous le prouve ?

Jeffrey sourit intérieurement. Il va réussir à le convaincre, maintenant il n'a plus de doute. L'affaire est dans le sac.

– Sofia était à ma conférence. Elle est venue me voir. Elle savait des choses qui ne faisaient pas partie de ma présentation et qui n'ont jamais été publiées...

– C'est une blague ? s'étonne Thomas.

– Je suis tout ce qu'il y a de plus sérieux. Sofia est la première personne que je rencontre qui soit capable d'aller dans l'Exéité et d'interagir avec les créatures qui s'y trouvent. Tu es un scientifique, toi aussi. À ma place, tu l'aurais laissée partir ? Toute ma vie, j'ai étudié les rites et les croyances funéraires. C'est l'occasion pour moi de prouver tout ce qui s'est écrit au fil des âges. Comprends-moi ! Je ne pouvais pas ignorer cette chance...

Jeffrey fixe Thomas droit dans les yeux, il y met tout son pouvoir de persuasion. Le résident est songeur. À court de mots, il regarde de nouveau les écrans. Les signes vitaux de Sofia, quoique toujours très faibles, sont stables. D'une façon ou d'une autre, son corps est capable de fonctionner, malgré sa température anormalement basse. Jeffrey décide d'abattre sa dernière carte.

– Tu sais que, toi et moi, on pourrait remporter un Nobel avec une découverte pareille ?

– Vous et moi ? répète Thomas, déconcerté.

– Je ne pourrai pas le faire seul. J'ai absolument besoin de toi. Et arrête de me vouvoyer, partenaire.

Thomas regarde Jeffrey attentivement. Doit-il le croire ? Ce n'est pas tant le Nobel et la notoriété qui vient avec qui intéressent Thomas. Mais assister à une des plus grandes expériences scientifiques de cette ère, en faire partie, en quelque sorte... Il se passe quelque chose d'impossible sous ses yeux, ça au moins il peut y croire. Est-ce si fantaisiste alors de penser que cette jeune fille est en ce moment même en train d'explorer le monde des morts ?

– Le temps presse. Si tu embarques, ça doit être maintenant, dit Jeffrey.

– Vous... Tu... Tu t'attends à quoi de moi ?

– Tu dois m'aider à aller dans l'Exéité. Je m'étais entendu avec elle : je dois la rejoindre au plus vite, elle m'y attend. Ça fait déjà presque une demi-heure que sa température a commencé à baisser. Même si Sofia est unique, je doute qu'elle puisse rester très longtemps dans une telle transe.

Jeffrey se met à fouiller dans un sac fourre-tout qu'il a apporté avec lui. Il en sort une seringue enchâssée dans un étui.

– Tu dois m'injecter ça.

– Pas question ! s'exclame Thomas.

– Ça fait partie de mes recherches, dit Jeffrey, sérieux.

– C'est quoi, ce truc ?

– De l'extrait de pavot. C'est ce que les Sumériens utilisaient pour accompagner les défunts dans l'Exéité. Vite ! Fais-le, dit Jeffrey en lui plaçant la seringue entre les mains.

Thomas regarde la petite quantité de liquide vert, prisonnière de l'instrument.

– Je ne t'administrerai pas cette cochonnerie !

– On n'a pas de temps pour les formalités. Je sais quelle quantité il me faut et, de toute façon, ce n'est pas toi qui prends le risque, hein ?

Thomas hésite. S'il fallait que le professeur ait raison, qu'il existe vraiment un monde après la mort et qu'on puisse y accéder à volonté... Jamais il ne pourrait se pardonner d'avoir renoncé à une occasion pareille. En même temps, injecter cette drogue dans le corps de Jeffrey pourrait lui faire perdre son droit de pratique ! Il n'aurait plus de carrière, plus d'avenir. En un geste, il viendrait risquer tout ce pour quoi il a travaillé si fort...

– Je ne touche pas à cette seringue. Si tu veux le faire, je ne t'en empêcherai pas et je surveillerai tes signes vitaux.

– OK. *Deal*, dit Jeffrey en déboutonnant sa chemise.

Thomas lui colle des électrodes identiques à celles qu'il a posées sur le corps de Sofia.

– Dépêche-toi, je dois aller la rejoindre !

– Tu es sûr que tu veux faire ça ?

Pour toute réponse, Jeffrey tend son avant-bras, paume vers le haut et s'installe un garrot. Une veine se gonfle dans le pli de son coude. Il la tape légèrement pour s'assurer qu'elle est bien stable. Puis, d'une main experte, il enfonce l'aiguille dans son bras. Il regarde Thomas droit dans les yeux, un sourire narquois aux lèvres, tandis qu'il injecte lentement la drogue dans son organisme. Le cœur du jeune médecin bat à tout rompre. Il ne peut plus reculer et pourtant il voudrait être n'importe où sauf ici. Le professeur s'allonge.

– Wow, dis donc... Quel effet ! dit Jeffrey.

– Ce n'est pas une bonne idée, regrette déjà Thomas. Professeur ?

L'homme n'écoute absolument plus. Il a le regard dans le vide et les expressions sur son visage ne correspondent pas à ce qu'il vit dans la réalité. Un large sourire béat étire ses lèvres. Puis, d'un grand geste, il tente de chasser une mouche insistante. Thomas évite de justesse une claque en plein visage.

– Tais-toi ! lance Jeffrey. Je n'entends pas ma conférence ! Je n'entends pas ce que je dis...

Puis, il s'affaisse, inerte, sur le lit.

– Professeur ? Professeur ? Jeffrey !

Celui-ci ne réagit pas aux appels de Thomas, qui le secoue vigoureusement. Le jeune homme s'assoit à côté de l'archéologue étendu et se prend la tête entre les mains, découragé. Il n'aurait jamais dû accepter ! Son père lui a toujours dit que sa curiosité le perdrait et il riait chaque fois de bon cœur... Mais là... La panique l'envahit. Son cœur se débat violemment dans sa poitrine, ses mains tremblent, il transpire à grosses gouttes. Il ferme les yeux, il doit absolument se calmer. Il porte son attention sur les pulsations lentes de Sofia, dont il isole mentalement le bruit parmi tous les autres sons. Elle est si calme, si paisible... La tension de Thomas baisse d'un cran.

Dip... ... ...
... ...
Dip... ... ...
... ...

Le jeune résident respire mieux. Il se calme et retourne auprès de ses moniteurs. Il se dit que même si Jeffrey ne réussit pas à atteindre l'Exéité, les résultats physiologiques de Sofia à eux seuls constituent un miracle de la science et valent le risque qu'il prend. Tant que la jeune fille n'est pas en danger... 16 h 26. Thomas saisit l'électroencéphalogramme de Sofia. Toujours une onde delta profonde et longue, jumelée à des pics alpha et bêta. Thomas secoue la tête, incrédule. Peut-être qu'il a bien fait, après tout, d'aider Jeffrey... Jeffrey ! La panique le reprend brièvement et il a du mal à respirer. Il porte son attention sur le moniteur du professeur. Son rythme cardiaque, qui était au départ très rapide, est en forte baisse. Sa température corporelle est de 33° C. Puis, Thomas la voit chuter d'un coup à 28° C, alors que Jeffrey convulse sur sa civière. Ce sont de petites contractions, un frisson qui parcourt son corps tout entier. Exactement comme Sofia quelques minutes plus tôt... Il a réussi, il est dans l'Exéité ! Thomas ne tient plus en place, il marche de long en large dans la pièce exiguë.

– Noter l'heure et les signes vitaux... Je dois tout noter !

Thomas se met à inscrire dans un petit carnet : Heure : 16 h 33. Rythme cardiaque : 11 par minute. Température : 28° C.

Soudainement, une lumière vive jaillit dans la pièce voisine. Un éclair violent, bleuté et orangé, qui déchire l'air et fait sauter tous les appareils électriques dans un boucan infernal. Une langue d'énergie orangée atteint Thomas en pleine poitrine et le projette, tête première, par-dessus la table et les écrans. Le jeune homme s'écrase sur le sol, inconscient. Lorsqu'il revient à lui, tout est noir et silencieux. Encore sous le choc et aveuglé, il se dirige vers la pièce voisine en titubant. Les lumières se rallument, mais pas les instruments.

– Sofia !

Sans doute sous l'effet de l'éclair, le corps de la jeune fille toujours inconsciente s'est déplacé et menace maintenant de glisser en bas de la civière. Thomas rattrape Sofia *in extremis* et l'installe à nouveau correctement. Il prend son pouls. Encore lent, mais bien là. Thomas jurerait qu'il accélère. Il se lance du côté de Jeffrey, lui prend le poignet à son tour. Rien, rien du tout. Non, ce n'est pas vrai ! Thomas se place à califourchon sur la forme inerte, lui administre un massage cardiaque. Il se souvient du défibrillateur portatif installé dans la petite pièce de surveillance. Il ne sait pas s'il fonctionne. A-t-il lui aussi été affecté par l'éclair qui a traversé la pièce ? Thomas ne veut pas interrompre le massage cardiaque, mais il doit appeler les secours. Il n'a pas le choix. Il ne pourra pas sauver Jeffrey seul. Jamais, quand il a accepté de suivre les signes vitaux du professeur, a-t-il une fois pensé à ce à quoi il devrait faire face si ça tournait mal. Thomas ne veut certainement pas avoir cette mort sur la conscience. Il compose rapidement le 9-1-1 et explique la situation, ramasse au vol le défibrillateur et retourne vers l'archéologue, toujours parfaitement immobile. Il place les plaquettes sur la poitrine dénudée de celui-ci. La pile n'est pas à pleine charge, mais ça devrait être suffisant. Le corps de Jeffrey s'arc-boute sous l'effet de la décharge électrique. Pas de pouls. Thomas saisit le ballon autogonflant qu'il a trouvé dans la boîte du défibrillateur, le pose sur le visage de Jeffrey et l'actionne. La poitrine du professeur se soulève et redescend, comme s'il respirait normalement.

– Allez ! Reviens ! Vous *devez* revenir !

Le jeune homme appuie de nouveau sur le bouton du défibrillateur. Nouvelle décharge. Toujours aucune pulsation. L'appareil lui indique de poursuivre le massage cardiaque. Le professeur doit vivre, sinon Thomas perdra tout. Ils vont savoir qu'il était là !

Plus que la crainte de voir son mentor mourir, il se rend compte de l'impact que la décision qu'il a prise pourrait avoir sur le reste de son existence. Il jette un œil vers Sofia qui grelotte toujours, mais qui a repris des couleurs, comme si elle revenait à la vie. Cette fille est un miracle, c'est certain. Mais ça donne quoi, maintenant ? Les ambulanciers entrent avec fracas dans la pièce.

– J'ai tenté de le réanimer deux fois déjà avec le défibrillateur, mais ça n'a rien donné. Il est probablement en overdose ! s'écrie Thomas.

– On s'en occupe ! répond un des ambulanciers en sortant son sac.

Sofia a froid, elle ne sait pas où elle se trouve, elle se sent tomber, s'enfoncer, puis voler, et tomber de nouveau. Elle est étourdie, ne reconnaît plus le haut du bas. Elle entend des cris, mais elle ne comprend pas, ne sait plus qui elle est. Tout ce qu'elle sait, c'est qu'elle ne sent pas son corps. Pourtant, elle entend le sang qui circule dans ses veines, les bruits qui parviennent à ses oreilles. Elle se souvient maintenant où elle se trouve, le lit, l'odeur de javellisant. Que s'est-il passé ? Pourquoi ne peut-elle pas bouger ? Si elle essayait un petit mouvement, un effort minuscule... Elle se concentre sur ses paupières, mais les sensations de l'autre lieu sont trop fortes, trop saisissantes. Cet échange, cet être qu'elle a rejoint, le plaisir enivrant, la promesse de l'unification, la force dévastatrice et merveilleuse qui émanait d'eux... Et enfin, le monstre qui est venu la palper de ses doigts de feu, et briser ce lien si fort. Sofia s'est sentie salie par ce contact répugnant et visqueux.

Le professeur ! Elle ouvre les yeux brusquement. Les néons, la clinique du sommeil. Elle parvient à tourner lentement la tête vers l'animation qu'elle perçoit du coin de l'œil, juste à temps pour voir le corps de Jeffrey s'arc-bouter sous l'effet d'une décharge électrique violente, sur le lit à côté d'elle. Sofia veut hurler, se lever, s'éloigner de la scène, partir loin, loin d'ici. Mais son corps refuse de lui obéir. Une larme coule sur sa joue et s'écrase sur le drap empesé. Personne ne le remarque. Elle sombre dans le noir.

- 6 -
J'explose

Dès qu'elle a été créée par la Pouponnière-Mère, l'Erreur s'est mise à chercher un corps à posséder, comme tous les autres Sykrans. Elle n'était pas consciente qu'un terrible monstre avait été produit pour l'anéantir. Elle s'est précipitée vers un vortex qui s'entrouvrait. Alors qu'elle fonçait vers le bébé fragile prêt à être habité, sa puissance extraordinaire a éliminé les milliers de Sykrans engagés eux aussi dans le passage. Elle les a tous détruits, sauf son ennemi qui la suivait de près.

L'Erreur est entrée dans le corps de l'enfant, mais ce dernier ne pouvait contenir toute son énergie. C'est alors qu'un second enfant est apparu, issu de la même mère. L'Erreur s'est jetée sur le nouveau bébé, prête à posséder non pas un, mais deux corps.

Au moment où elle allait saisir l'autre enveloppe qui s'offrait à elle, l'Erreur a été soufflée par une collision foudroyante d'une ampleur indescriptible. Son ennemi l'avait trouvée. La force de l'impact est parvenue à scinder l'Erreur en deux, une partie se trouvant déjà dans le premier corps. La seconde a été propulsée dans l'Exéité, loin du vortex qui s'est refermé instantanément. Pour se préserver, la deuxième moitié de l'Erreur a alors ouvert un autre entonnoir et a disparu dedans, se saisissant du corps qui s'y trouvait.

Crraaaash ! Le choc est horrible. Le métal s'écrase sur le béton avec un hurlement de bête blessée. L'écho résonne dans le garage, il vient de partout à la fois.

J'ai échappé notre robot. Il gît sur le sol, à l'envers, se balançant sur le dos, secoué de spasmes. *J'ai échappé notre robot !* Je reste là un instant, immobile, à le regarder. Je n'ose pas le ramasser. Et s'il était irréparable ? Je n'aurais plus à prétendre que je sais ce que je fais et que tout ça me passionne. C'en serait fini du projet que Justin et Gregory partageaient. Le rêve, les espoirs de Justin, les obstacles auxquels ils ont dû faire face pour en arriver là... J'imagine déjà la réaction de Gregory quand il apprendra ce qui s'est passé. Comment pourrait-il croire une seconde que Justin a tout bêtement *échappé* le produit de tant d'heures de travail ? Non. Justin aurait fait plus attention. Et Gregory va m'en vouloir à jamais. Je ramasse le robot pour constater les dégâts. À première vue, pas trop de dommages. La structure est solide.

C'est vrai que nous l'avons conçue pour résister à des attaques violentes. Soulagé, je dépose délicatement la bête sur la table qu'elle n'aurait jamais dû quitter.

Voilà un peu plus d'une semaine que je suis devenu Justin. Suffisamment de souvenirs me sont revenus pour que je puisse me débrouiller à l'école. Cette vie me plaît. Mes parents sont corrects. En fait, pour des parents, ils sont vraiment bien. Et je peux comparer, j'en ai eu beaucoup ! Greg m'a ignoré pendant quelques jours, puis nous nous sommes retrouvés face à face ce matin, dans le corridor. Nous ne savions pas trop quoi nous dire au début, mais on dirait que je lui ai manqué. Il s'est excusé et doit passer demain soir. D'ici là, je tente de mettre à niveau mes connaissances en robotique. Je suis vraiment loin du compte. J'ai beau lire les plans, consulter les blogues et passer en revue les machins électroniques qui traînent dans le garage, je dois me résoudre à l'idée que je ne serai jamais un génie. Mais je veux y arriver. Je ne sais pas pourquoi, seulement je ne peux pas abandonner Gregory. Je ne suis pas capable de laisser tomber le projet.

Mon père entrouvre la porte.

– Justin, le repas est prêt.

– OK. J'arrive.

En me retournant pour quitter le garage, je marche sur quelque chose. *Crac !* Qu'est-ce que c'était ? Je lève le pied et ramasse le microcontrôleur que mon ami a eu tant de difficulté à obtenir. Enfin, ce qu'il en reste. Il a dû se détacher de l'intérieur du robot pendant la chute et, malheureusement, il n'était pas conçu pour résister au poids d'un gars de seize ans. Le boîtier en plastique a craqué, le circuit est cassé en deux. C'est un désastre... Je repense à la fierté de Greg quand il m'a appris qu'il l'avait déniché. Je soupire. Je dois absolument mettre la main sur un autre microcontrôleur avant demain soir.

Dès que je franchis le seuil de la porte, je détecte l'odeur. Une puanteur d'iode qui s'infiltre dans mes narines et qui me serre la gorge. Tout l'air de la maison est contaminé. Merde. Je mange de tout. Vraiment, je ne suis pas difficile. Je n'aime pas tout, mais je suis capable de faire semblant. Des champignons, de la choucroute, du steak tartare, de la cervelle, des calmars. Mais les crevettes, impossible. Je déteste ça. Le problème, c'est que Justin, lui, en raffolait. Je me dirige vers la table, la mort dans l'âme. Ma mère, Françoise, est à la cuisine. Mon père, Marc, s'assoit à mes côtés. A-t-il parlé ? L'odeur des crevettes me monte à la tête et je n'arrive pas à me concentrer sur autre chose. Pénélope, qui d'habitude venait se poster à côté de Justin en espérant recevoir des miettes de repas, a préféré s'installer près de mon père. C'est la deuxième fois que ça se produit et il a remarqué le changement de comportement de la chienne.

– Qu'est-ce que tu as fait à cette pauvre bête pour qu'elle te boude comme ça ?

– Je ne sais pas ce qu'elle a.

Ma mère arrive avec les assiettes. Un sauté. C'est la pire façon d'apprêter des crevettes, parce que tout est mélangé. Même les fèves germées et les pois mange-tout sont imprégnés de ce sale goût de marais. Le plat est bien chaud et des volutes de vapeur s'en élèvent pour pénétrer dans mon nez hypersensible. *Beurk !* J'ai la tête qui tourne et l'estomac au bord des lèvres. Je repousse mon assiette instinctivement, c'est plus fort que moi. Je les imagine, encore entières avec leurs petites pattes recroquevillées, leurs grands yeux noirs fixes et leurs antennes torsadées... La vue d'une crevette, de n'importe quelle crevette, même panée, me met dans tous mes états. Mais l'odeur, c'est pire que tout ! Mes parents m'observent. Ils ne disent rien, mais ils échangent des regards. Je dois leur expliquer.

– Je m'excuse. Ce soir, ça ne me tente pas, les crevettes.

– Mais tu adores ce plat d'habitude ! me lance ma mère, déçue. Je l'ai préparé pour te faire plaisir.

Mon père dépose ses ustensiles. Je sais ce qui s'en vient. Tout le monde est figé, en attente. Je voudrais juste me réfugier dans ma chambre. Mais je ne peux pas partir maintenant.

– Je ne me sens pas bien, tenté-je.

– Ton père et moi..., commence ma mère.

– ... On a remarqué que tu n'avais pas l'air dans ton assiette ces derniers jours, complète mon père.

Il fait souvent ça, terminer les phrases amorcées par les autres. Surtout avec ma mère.

– S'il y a quelque chose qu'on peut faire..., ajoute ma mère.

Je n'ai qu'une envie : quitter cette pièce au plus vite.

– Qu'est-ce qui se passe, Justin ? renchérit mon père. Ça fait presque une semaine que tu ne nous parles plus, tu te chicanes avec Gregory...

– Il vous en a parlé ? le coupé-je.

Mes parents sont visiblement embarrassés.

– On l'a appelé pour savoir s'il y avait quelque chose de spécial... Il faut que tu nous comprennes, on est inquiets ! poursuit ma mère.

– Greg nous a dit ce qui est arrivé, lance mon père d'un ton grave.

– De quoi vous parlez ?

– La crise que tu as eue la semaine dernière.

Génial. Greg n'a pas pu s'empêcher de bavasser. Si je l'avais su ce matin, j'aurais continué à l'éviter. Je suis en colère, je me sens trahi. Et en plus, partout dans la maison, ça sent la crevette.

– Ne te ferme pas comme ça, dit ma mère qui a bien vu mon changement d'attitude. Greg aussi se pose des questions. Pourquoi tu ne nous en as pas parlé ? Ça pourrait être très grave. Tu n'as jamais fait de crise d'épilepsie auparavant.

– Tu veux nous raconter ? demande mon père.

En bon scientifique, il doit connaître tous les faits pour bien évaluer une situation. Seulement, il y a certaines choses que je ne peux pas lui révéler. Je juge que « Votre fils n'existe plus, j'ai pris sa place dans son corps » n'est pas exactement le genre de vérité que Marc souhaite entendre.

– Je suis tombé en bas de ma chaise et je me suis cogné la tête.

Silence.

– C'est ça, le bleu que tu avais au visage ? fait ma mère, étonnée, en approchant la main de mon front.

– Ouais..., dis-je en reculant.

– Pourquoi tu as voulu nous faire croire que tu avais heurté une porte ? Pourquoi nous avoir menti ? me reproche mon père.

– Ce n'est rien, je ne voulais pas faire une histoire avec ça.

– Ce n'est pas rien, ç'aurait pu être très grave ! On doit aller te faire examiner à l'hôpital !

– Ça fait huit jours que c'est arrivé. S'il y avait eu un problème, je crois qu'on l'aurait su, depuis le temps, répliqué-je froidement.

Nous restons là un instant à nous dévisager, tous les trois. Je me demande si c'est le moment approprié pour me lever de table.

– Est-ce que tu te drogues, Justin ? me demande mon père.

Et paf ! J'ai l'impression de recevoir une gifle en plein visage. À cause d'un tout petit incident, on me reproche de me droguer ? Il faut le faire, quand même !

– Pourquoi est-ce que tous les parents pensent ça de leur enfant ? Pourquoi est-ce qu'il faudrait que je vous raconte toujours tout comme si j'avais encore six ans ? Vous n'avez aucune raison de douter de moi ! Ce n'est pas juste !

Je me lève, leur lance un regard furieux et quitte la pièce.

– Viens, Pénélope !

Je regrette tout de suite d'avoir dit ça. Pénélope se tient loin de moi depuis que je suis arrivé. Pourquoi me suivrait-elle maintenant? Surtout avec l'espoir que mon père lui donne de la bouffe, considérant les assiettes encore pleines sur la table. Contre toute attente, elle me suit docilement. Il y en a au moins une qui commence à s'habituer à moi.

✧ ✧
✧

Une musique délicate et épurée sort doucement des haut-parleurs du café. Des notes solitaires, distinctes, qui s'harmonisent et forment une mélodie curieuse, méditative. La neige qui tombe dehors semble s'accorder au rythme de la musique. Les flocons sont lourds, chargés d'eau. Il n'y a pas eu de neige à Noël cette année et, même en février, les rues sont sales et détrempées. Katherine prend une gorgée de son café au lait et repose le bol sur la table. Elle est bien, ici. Ce n'est pas pour rien qu'elle s'y réfugie dès qu'elle en a l'occasion.

– Tout va bien, Kat? Tu veux autre chose? demande la serveuse, Tammy, que Katherine connaît bien.

– Tout est parfait, merci.

Tammy s'éloigne d'un pas lent et léger. Il n'y a que trois clients dans l'établissement, elle n'est pas pressée. Kat la regarde partir distraitement. Elle est une habituée de l'endroit, c'est son havre de paix, son oasis. Elle y vient tous les jours. Elle fait ses devoirs, toujours assise à la même table, elle réfléchit, elle rêve d'un monde meilleur, moins stressant. Elle prend des cours de tarot, aussi, et elle adore ça. Rien à voir avec la vie bousculée qui l'attend hors de ces murs. Ni avec l'atmosphère glaciale qui a toujours régné chez elle. Chez sa tante, plutôt, qui l'héberge bien malgré elle depuis qu'elle est toute petite, à la suite de l'accident qui a tué ses parents. Sa tante froide et sèche, incapable de tendresse et d'amour, au cœur aussi flétri qu'un raisin sec. Katherine sent une vague de tristesse monter doucement en elle.

Le propriétaire du café, Ronald, fait son entrée. C'est un homme dans la soixantaine, aux cheveux grisonnants attachés en queue de cheval, qui lui donnent un look de vieux hippie. Il jette un œil averti tout autour et son visage s'illumine lorsqu'il aperçoit l'adolescente.

– Ma petite Katou ! Comment vas-tu ?

Ronald la serre chaleureusement dans ses bras. À dix-sept ans, Katherine a développé un monde bien à elle, loin de sa tante sinistre et déprimante. Ce café, c'est sa véritable maison, les gens qu'elle a appris à connaître ici, sa vraie famille. C'est un environnement chaleureux et douillet dans lequel elle se pelotonne comme dans une couverture de duvet.

Kat regarde la grosse horloge violette qui trône au-dessus du comptoir. 15 h 30. En plein milieu de son dernier cours de la journée, le français. La jeune fille est gentille, dévouée, généreuse. Mais il lui arrive, de manière tout à fait inattendue, de ressentir le besoin viscéral de quitter le collège. Elle résiste autant qu'elle le peut à ce désir de délinquance mais, parfois, il est plus fort qu'elle. Non pas qu'elle déteste l'école. Elle y est plutôt bien, en fait. Mais se retrouver au café alors qu'elle peut imaginer les autres élèves travailler, assis à leur bureau, ça n'a pas de prix. Elle éprouve un sentiment de liberté sans pareil. Si on lui pose la question au sujet de son absence, elle peut toujours s'arranger. Après tout, sa tante subit une série de traitements contre le cancer. Kat peut donc prétendre qu'elle doit se rendre à son chevet. Même si jamais, au grand jamais, la femme ne voudrait voir sa nièce pendant ses traitements. Hors de question que celle-ci la voie ainsi diminuée ! Kat connaît très bien les risques qu'elle court en faisant l'école buissonnière. Elle sait que si sa tante venait à apprendre son petit stratagème, elle le paierait cher. Mais le jeu en vaut largement la chandelle. Ces escapades interdites signifient tellement pour elle.

✧ ✧
✧

Je regarde ma montre. 16 h 05. C'est une chance que le professeur de physique ait eu un violent mal de tête et ait libéré la classe plus tôt. Gregory va être chez moi vers 16 h 45. Il me reste quarante minutes pour dénicher ce qui a pris des semaines à Gregory à trouver : le microcontrôleur. C'est vrai que j'étais fâché contre lui à cause de ce qu'il a dit à mes parents.

J'ai ruminé ma colère toute la soirée, hier. Mais ce matin en me levant, je me suis trouvé ridicule. Justin aurait fait la même chose si les parents de Greg l'avaient appelé, inquiets à son sujet. Je n'arrive pas à lui en vouloir. Et voilà que je me lance dans une course effrénée à la recherche d'un objet électronique dont je ne connais même pas vraiment l'utilité. Juste pour qu'il ne sache pas que j'ai échappé le robot. En fouillant sur Internet et en faisant quelques appels, j'ai trouvé un magasin qui vend de ces bidules. En espérant qu'ils ont la chose que j'ai écrasée sous mon pied ! La boutique se trouve plus bas sur le chemin du Souvenir, à en juger par l'adresse que j'ai en mémoire.

Quelle rue ! Je chasse la neige qui me colle au visage. Je croise toutes sortes de gens étranges. Il y a ce clochard avec une pancarte tachée et huileuse autour du cou : « J'ai faim ! ». Il doit être transi par ce temps humide et glacé. Des hommes et des femmes d'affaires pressés, tirés à quatre épingles, des immigrants d'une pauvreté flagrante qui traînent le poids de leur vie misérable sur leurs épaules. Les magasins se succèdent mais ne se ressemblent pas. Un comptoir de livraison de poulet grillé côtoie une boutique de vêtements importés en solde à deux, cinq ou dix dollars. Les couleurs sont trop flamboyantes, artificielles, les tissus respirent le nylon. Des magasins obscurs de jeux vidéo et d'appareils électroniques côtoient des antiquaires haut de gamme. Entre une échoppe de cordonnier graisseuse et un ancien édifice industriel vacant se glisse un restaurant de cuisine fusion plein à craquer, même à 16 h. Les ruelles occasionnelles laissent entrevoir des monticules d'ordures accumulées et de neige sale. Même en hiver, les odeurs se mêlent d'une curieuse façon. Le poulet, les poubelles pourrissantes, les épices, la sueur de la pauvreté... Je n'arrive pas à me faire une opinion sur l'endroit. C'est une drôle de sensation, un rien oppressante. J'ai l'impression que je n'y suis pas à ma place, mais que j'ai le droit de m'y trouver.

J'arrive enfin devant le magasin que je cherchais. C'est tout petit. La porte est surmontée d'une enseigne crevée, au fond jaune et au lettrage rouge: «Électroniques Chen: pièces». J'inspire profondément avant d'entrer. Il faut que je trouve le microcontrôleur!

Le bol de Kat est vide, un restant de lait séché collé sur les bords. Elle le prend quand même machinalement, renverse sa tête en arrière dans l'espoir de récupérer une ou deux gouttelettes de café froid sur sa langue. Il ne reste rien. Kat regarde l'horloge de nouveau. 16 h 10. Il est temps pour elle de partir. Où va-t-elle donc aller maintenant? À la maison? Juste à l'idée des pièces sombres et poussiéreuses, elle frissonne. Non, elle n'est pas prête à affronter cela. Il lui reste encore quelques devoirs à faire, mais elle n'arrive plus à se concentrer au café. Marcher un peu lui fera du bien. Peut-être pourrait-elle se rendre jusqu'à la bibliothèque? C'est un environnement différent, calme et inspirant. Et ce n'est pas trop loin de chez elle. Elle pourra rentrer pour 17 h 30, heure à laquelle sa tante l'appelle habituellement pour s'assurer qu'elle est bien rendue. Kat rassemble ses choses, laisse la monnaie sur la table. Elle salue Tammy et le propriétaire qui lui envoient la main. Puis, elle met son capuchon et sort sous le tintement familier de la clochette suspendue à la porte d'entrée.

✧ ✧
✧

Je suis ravi. J'ai en ma possession un tout nouveau microcontrôleur qui m'a coûté treize dollars soixante-seize. Je sors du magasin, soulagé. Gregory ne saura jamais ce qui est arrivé hier. J'apprécie, pour la première fois aujourd'hui, l'air frais et la neige mouillée qui tombe sur mon visage. Tout va bien se passer ce soir, je le sens. J'ai même hâte de revoir mon ami, dont j'aime l'enthousiasme et la sincérité. Je jette encore une fois un regard dans le sac en plastique jaune que j'ai entre les mains. Le microcontrôleur. Et j'ai déniché une mine d'or pour les prochaines pièces de notre robot. 16 h 20. J'ai encore le temps de me rendre tranquillement à la maison et d'installer le bidule avant que Gregory n'arrive. Oui, tout va bien se passer.

✧ ✧
✧

16 h 20. Tout le monde se presse pour se réfugier dans un endroit ou un autre afin d'éviter cette température où l'humidité prend si rapidement possession

de votre manteau, de votre chair, de vos os. Kat, pour sa part, s'imprègne de la vie de la rue. Elle aime cet endroit, ces gens bigarrés qui la croisent sans la regarder, les bruits provenant des magasins devant lesquels elle passe. Elle apprécie même, lorsqu'elle s'arrête devant l'entrée d'une ruelle, les odeurs aigres qui s'en dégagent. Elle ferme les yeux et inspire profondément, immobile sur le trottoir. Un sourire rêveur se dessine sur son visage.

– Au secours !

Une voix faible. Kat ouvre les yeux, immédiatement sur le qui-vive. A-t-elle halluciné ? Il lui semble que ça provenait du fond de la ruelle.

– Il y a quelqu'un ? demande-t-elle.

Un gémissement lui répond. La jeune fille fait quelques pas dans la direction du bruit. Elle tente de discerner quelque chose dans la pénombre de l'allée, entre les flocons qui semblent avoir accéléré leur cadence. Elle ne voit que des bennes à ordures, des amas de vidanges encore soudés dans une glace luisante, mais découverts par un début de fonte.

– Où êtes-vous ? Je peux vous aider ?

Kat regarde autour d'elle. Aucun passant ne semble avoir entendu, ou alors, personne ne s'en soucie. Elle avance prudemment. Elle entend de nouveau un léger gémissement. L'odeur de décomposition est forte, saisissante, malgré le froid. Kat jette un œil vers la rue. Elle devrait peut-être demander à quelqu'un de venir l'aider... mais elle rejette cette idée. Elle ne sait même pas ce qu'elle entend. Mieux vaut aller vérifier. Elle se dirige vers le fond de la ruelle, cherchant du regard l'origine du son. Derrière la dernière benne à ordures rouillée, elle distingue une forme humaine étendue sur le sol. À moins que ce soit un paquet de vêtements sales ? Non, la forme bouge. Kat s'approche précipitamment et s'agenouille près de l'individu. La jeune fille entend une respiration saccadée, difficile. C'est un homme. Elle tend la main pour le toucher.

– Monsieur ? demande-t-elle doucement.

Au moment où elle s'apprête à poser les doigts sur lui, l'homme se retourne brusquement et l'agrippe par son manteau d'une main puissante. Il regarde la jeune fille d'un air mauvais, malsain, avec un sourire agressif laissant voir une rangée de dents jaunies, comme une série de crocs pointus. Kat s'arrache à l'emprise de la brute d'un mouvement sec et se jette vers l'arrière. Elle sent des bras se resserrer autour de sa taille. Un autre homme la presse contre lui. Elle ne l'avait pas remarqué, concentrée qu'elle était à identifier la source des gémissements. Elle pousse un cri immédiatement étouffé par une main sale et rugueuse qui s'écrase sur sa bouche. Paniquée, elle essaie de se débattre, mais c'est peine perdue. L'homme est trop fort. Son étreinte est un étau. Les lèvres de la jeune fille sont meurtries sous la paume râpeuse de son agresseur. Son cœur bat à toute vitesse, comme s'il voulait sortir de sa poitrine. Kat cesse de résister. Du coin de l'œil, elle remarque qu'ils sont cinq, peut-être plus. Ils se sont terrés dans les coins d'ombre de la ruelle en attendant que leur proie s'approche. Leur proie... elle ! Sa gorge se noue de terreur. Ils l'attendaient. L'adolescente est tombée dans un piège et elle se doute qu'ils ne lui réservent rien de très plaisant. La rue est trop loin pour que Kat la distingue d'où elle est, donc personne ne peut la voir non plus. Elle est coincée, prisonnière.

La loque qui était sur le sol se relève. L'homme qui la retient la pousse, la secoue brutalement alors qu'elle se débat pour essayer d'échapper à ses bras de fer. Puis, il lui écrase le visage contre le mur glacé, derrière le conteneur à déchets. Kat ne sait plus où elle se trouve, elle ne vit que cette pression, un élancement sourd, sa tête comprimée, sa vue qui se brouille, elle va perdre connaissance... Elle est brusquée de nouveau et revient à elle dans un tourbillon de douleur alors que la peau délicate de son visage s'égratigne au contact du mur. Elle gémit, mais, encore une fois, les sons sont absorbés par la paume épaisse de son agresseur.

– Laisse-moi voir ce qu'on a là...

La voix est éraillée, sarcastique. Kat est retournée sans ménagement, plaquée dos au mur. Elle ne résiste pas, encore à reprendre ses esprits. Les pulsations lui martèlent le crâne. Une fois de plus, elle tente mollement de se libérer de l'étreinte dans laquelle elle est maintenue, mais ses efforts sont inutiles.

– C'est bien, ça, ma belle... Tu commences à comprendre que ça ne sert à rien de résister.

Kat ne bouge plus. Elle rassemble ses forces pour tenter une ultime fois de se dégager. Mais elle sent qu'il a raison. La certitude se forme dans son esprit, elle ne pourra pas leur échapper. Ils sont trop forts et trop nombreux. Elle devrait peut-être juste se laisser faire... Celui qui semble être le chef s'approche d'elle. Immonde, répugnant. Une cicatrice blanche lui barre le visage, comme si quelqu'un avait voulu couper sa tête en deux sur la longueur.

– Tu devrais savoir que se promener dans les ruelles, c'est dangereux.

Même si aucun son ne sort de sa bouche, Kat pousse un cri intérieur assourdissant, elle n'entend plus que cet effroi absolu. Son être entier vibre à l'unisson de ce hurlement qui lui résonne dans les oreilles. Ses yeux s'agrandissent de terreur. L'homme devant elle l'examine, la jauge, la déshabille du regard, une expression d'envie révoltante sur le visage. Il s'approche encore d'elle, tout près. La jeune fille ferme les yeux. Des larmes de soumission, de désespoir, gonflent ses paupières. Une main velue et malpropre lui tâte l'épaule avant de descendre se poser violemment sur son sein gauche. Ce contact est un électrochoc pour Kat, et elle recommence à se débattre furieusement alors que son bourreau ne s'y attend pas. Sa bouche échappe un instant à la main qui la couvrait. Elle pousse un cri, un vrai cette fois, rapidement étouffé. Elle combat avec tout ce qui lui reste de forces.

– Hmm... On va voir combien de temps elle va gigoter comme ça ! s'exclame le chef en riant.

Les autres rigolent à leur tour. Kat est découragée, épuisée par sa dernière tentative. Elle a tout donné. Elle se détache tout d'un coup de la réalité. Une brume lui voile les yeux, elle sent moins la douleur à son crâne ou les violences qui lui sont faites, elle flotte, comme droguée. Tout se passe au ralenti. Deux des hommes la projettent et la maintiennent au sol. La jeune fille ne leur résiste pas, elle a à peine remarqué qu'elle était tombée. Elle comprend froidement ce qui est en train de lui arriver, mais toutes ses émotions ont disparu. Étrange... Elle ne se bat plus... Ce qui arrive à son corps ne l'atteint pas. Kat ne voit que du flou, des ombres qui se déplacent devant elle. L'odeur de transpiration qui emplit ses narines lui apprend que le monstre s'approche à nouveau d'elle. Il lui arrache son manteau. Un froid cruel, insidieux, se manifeste à travers ses vêtements tandis qu'ils s'imbibent d'eau. Elle sent la pression du corps de l'homme qui s'étend sur elle. Ses mains grossières se remettent à la tripoter. La jeune fille distingue vaguement ses traits. Une bouche puante se plaque contre la sienne. La main se faufile maintenant sous ses vêtements et fait sauter le bouton de son pantalon...

– Allo ? Il y a quelqu'un ? fait une voix de garçon qui semble sortir de nulle part.

Les hommes se figent. Ils se lancent des regards avertis.

– Il n'y a rien ici qui peut t'intéresser, le jeune. Dégage, dit le chef de bande.

Il demeure appuyé sur sa victime, mais il s'est redressé instinctivement en position d'attaque, les muscles tendus, prêt à bondir.

Kat est brusquement ramenée à la réalité crue de sa situation. Toutes ses émotions circulent de nouveau dans sa tête et elle vit plus intensément encore la douleur, la terreur, l'impuissance, la rage qu'elle avait refoulées un moment. Elle pousse un hurlement si puissant qu'il réussit à traverser la paume de l'homme qui la retient. La jeune fille sent les prises se resserrer autour de ses poignets et de ses jambes. Elle ne pourra plus faire un geste.

– Vous êtes sûr que tout est OK ? fait la voix en se rapprochant.

Un des malfaiteurs s'avance, alors que la silhouette d'un garçon devient visible pour tous.

– Eille, le jeune. On t'a dit de sacrer ton camp.

Je m'approche prudemment, en tentant de discerner quelque chose. Mon pouls s'accélère, je sens une tension dans mes tripes, une anticipation de danger. Tout à coup apparaît devant moi un homme au regard de tueur. Derrière lui, j'identifie rapidement quatre autres individus qui n'ont pas l'air plus propres ou plus sympathiques que le premier. Mais que fait celui-là, à moitié couché sur le sol ? Je regarde le groupe accroupi, derrière la benne rouillée. Puis, tout devient clair. Ils retiennent quelqu'un. C'était ça, le cri que j'ai entendu ! Une bien petite personne à en juger par les membres que je peux distinguer entre les silhouettes des hommes.

Un flash, mon agression dans les toilettes de l'école, en tant qu'Alex. La douleur, l'impuissance, la rage froide, implacable mais si distante et contenue. Toujours la douleur. Une douleur qui irradie de partout, de mon front, de mon corps tout entier, de mon esprit...

Je reviens à la ruelle, à l'odeur âcre, au raclement des bottes, aux hommes dont l'agressivité est en train de monter. Je les entends souffler.

Autre flash. Les mains liées, attaché à un lit, nu. Mon propre père qui me frappe avec une lanière, parce qu'il veut faire sortir le démon du corps de son enfant. Le dos en sang. Le désespoir, le mal de cœur et la fuite.

Un sentiment naît en moi. Une pointe, une lumière comprimée, un feu qui se ranime, se ravive, gonfle doucement. Mes tripes se serrent un peu plus. Mon regard est attiré par le bras frêle qu'une main retient, une main si énorme qu'elle semble recouvrir le membre tout entier. C'est une jeune femme, là-dessous ? Ou alors peut-être un *enfant* ? Le feu se déploie tout à coup, il s'amplifie, quoique encore retenu par là peur familière qui m'a toujours fait fuir. Mais pas autant, cette fois. À présent, je n'ai pas mal au cœur. Je sens des flammes de colère monter en moi. Je ne tolérerai pas que l'on fasse subir à quelqu'un des atrocités semblables à celles que j'ai dû endurer. Jamais je ne pourrai les laisser faire.

– Pour la dernière fois, tu dégages ou tu es le suivant, me lance mon interlocuteur.

Il renifle et me sourit. Je plonge mon regard dans le sien. Il me sourit parce qu'il sait ce que c'est, de fuir, d'avoir honte, de se sentir faible. Il le ressent au plus profond de lui, dans toutes les fibres de son être. Il a toujours été un faible. Il est né faible et il mourra faible. Mais maintenant qu'il a ce groupe, qu'ils sont ensemble et qu'ils se tiennent, il croit que personne ne peut s'opposer à eux et gagner, et surtout pas un gamin de seize ans. Je hais cette soif de pouvoir, de domination sale et sans scrupule qui l'habite. C'est un homme méchant, cruel, qui se nourrit des hurlements, de la douleur et du chagrin des autres.

Encore un flash. Il fait noir. Je suis essoufflé, épuisé d'avoir couru. Pourtant, je ne suis pas allé bien loin. J'ai peur, je ne comprends pas. Pourquoi me terrorisent-ils ? Je suis caché derrière un arbre. Si je me fais tout petit, ils ne me trouveront pas. Si je me fais tout petit, comme une roche... Je voudrais entrer dans le sol. Mes mains touchent le terrain humide et froid. J'entends des cris, des bruits de pas rapides et tendus. Je voudrais que la terre recouvre tout mon corps. Je voudrais me confondre avec elle. Je distingue la lueur vacillante des torches qui s'approchent. Les pas sont plus près, très près maintenant. Ils ne me verront pas, je suis tout petit, je suis le sol qui couvre mes mains. Des silhouettes surgissent devant moi, découpées par la lumière orangée des lampes. La terreur me secoue et m'éloigne de cet endroit maudit.

Ma gorge veut exploser, j'ai le sentiment que mon être tout entier va éclater en mille morceaux, prendre son expansion. Soudain, ma colère se connecte à une source d'énergie extraordinaire. Celle-ci veut entrer en moi, s'unir à moi. La douleur est forte, mon corps n'est pas assez grand pour nous contenir, pour refouler tous mes souvenirs, mes douleurs, mes peines, mon impuissance et ma honte, la honte misérable du faible qui se fait dominer. La colère accumulée depuis tant d'années, dans tant de situations, l'humiliation de subir semaine après semaine, mois après mois, des poursuites, des condamnations, des violences, d'attirer à soi tous les criminels du monde sans en connaître la raison, et de fuir. De fuir une fois, deux fois, toutes les fois. Toute une vie à fuir. Une haine de cette fuite, une aversion pour la faiblesse et pour ceux qui en profitent. Toute cette rage, sans que je sache trop comment, est expulsée d'un coup de mon corps, comme un gigantesque éclair d'énergie bleue, un grondement de tonnerre redoutable. J'ai l'impression d'être complet pour la première fois. Je déteste l'homme devant moi, il représente tout ce qui m'est arrivé, tous les agresseurs auxquels j'ai dû échapper. Rien d'autre n'existe que lui, ma rage et moi. Je déverse toute ma volonté, mes émotions négatives, la lave de ma colère, de mon fiel, de ma cruauté sur lui, sur ce monstre qui ne mérite pas de vivre. Je sens l'homme qui est balayé par mon énergie, comme au contact d'un tsunami. Écrasé, volatilisé, oblitéré. Il ne reste plus rien en lui. Je suis tout-puissant, je rayonne, je respire enfin, je suis moi. Je tiens dans mes mains une force meurtrière et je suis prêt à la lâcher en ondes dévastatrices sur quiconque s'opposera à moi.

Le corps de l'homme s'écroule par terre, totalement dépourvu de vie, sous les yeux de ses comparses. Ils l'ont tous vu. En fait, ils ne savent pas bien ce qu'ils ont vu. Mais ils ont ressenti la puissance, l'onde de choc, quand cette chose s'est déchaînée sur leur copain. Ils n'ont jamais expérimenté ça auparavant et ils ont peur, comme ils n'ont jamais eu peur. Ils ne savent pas vraiment ce qui se passe, mais ce n'est pas que leur corps qui est menacé, c'est leur entité tout entière. Ils cesseront tout simplement d'exister s'ils se frottent à lui. Instantanément, d'un même mouvement, les quatre hommes restants se fondent dans les ombres et disparaissent, ils coulent vers la rue.

Libérée, Kat reste allongée, stupéfaite elle aussi par ce qu'elle vient de ressentir. La jeune fille tourne la tête et pose les yeux sur le garçon qui se tient devant elle. Une vibration intense, violente et assourdissante semble émaner de lui. Kat a mal partout, sa tête tourne, mais tout ce qu'elle sent, c'est cette vibration, cette pulsation si pure, si étincelante, si belle...

Du coup, on dirait que toute mon énergie se comprime de nouveau et reprend possession de mon corps. Je suis de retour dans la ruelle. Mais l'ai-je jamais quittée ? Que s'est-il donc passé ? Je suis sonné. Je vois le cadavre à mes pieds. Il a la bouche ouverte, comme sous l'effet de la surprise, les yeux fixés sur un point qu'ils ne voient plus. Que s'est-il donc passé ? Je panique. Je quitte la ruelle en courant sans me retourner. 16 h 35.

Kat se relève et s'avance jusqu'au trottoir, complètement obnubilée par ce qu'elle ressent. Elle aperçoit la silhouette du garçon qui tourne le coin de la rue avant d'entendre des cris autour d'elle, de l'agitation...

– Qu'est-ce qui t'est arrivé ?

– Mon Dieu, venez voir par ici ! On dirait qu'il est mort !

Kat est prise en charge, couverte, serrée, réconfortée.

– Pauvre petite, est-ce que tu m'entends ?

La jeune fille ne répond pas, elle ne voit pas bien, elle ne réagit pas. Elle est ailleurs, elle sent la vibration qui, lentement, perd de son intensité. Cette énergie, cette brillante énergie, elle la connaît. Elle l'a ressentie une seule autre fois auparavant. Dans un monde différent, alors qu'elle flottait. Cette méduse translucide avec qui elle a échangé, il y a quelques nuits. Cette jeune femme si puissante et bleutée, à la recherche d'un signe... Elle se souvient de ce qui se dégageait d'elle... Est-ce possible ?

- 7 -
Pieuvres et cadavres

Les Chakrans sont une forme de vie qui partage l'Exéité avec les Sykrans. Lors de leur naissance, certains Sykrans émergent mal formés de la Pouponnière-Mère, pas tout à fait entiers, comportant des défauts. Ces êtres trop faibles pour échapper aux forts courants sont généralement réabsorbés rapidement par le nuage de création.

Les Chakrans qui réussissent à s'en éloigner se traînent, cachés, pourchassés et souvent détruits par les Sykrans. Pour survivre, ils se réunissent en meute. Ils se regroupent autour d'un chef qui les guide. Ils vont chercher leur énergie dans le clan, très hiérarchisé. Les plus forts dominent les plus faibles. La meute se déplace comme une seule entité grouillante et glauque.

L'objectif des Chakrans est le même que le nôtre: posséder des corps. Mais ils ne sont jamais parfaitement compatibles avec ceux-ci. La chair tente en permanence de les rejeter, ce qui occasionne chez toutes ces créatures une très forte agressivité et une tendance à la cruauté. Ce sont les êtres vils qui composent la lie de la société. Les bandits, les monstres, les assassins.

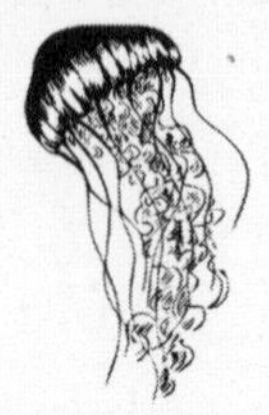

La température de l'eau est idéale. Un léger courant latéral me berce. Je ne ressens aucune gravité, ma flottabilité est parfaite. Mon expiration est ponctuée par le bruit des bulles qui sortent de mon détendeur. Je suis en plongée, seul et parfaitement bien. Je distingue la surface de l'eau, loin au-dessus de moi, une couche argentée frémissante, ridée par les vaguelettes.

Je vois des millions de petites particules en suspension dans l'eau, qui reflètent la lumière. Que sont-elles ? Des poussières, du corail, du plancton ? Je m'immobilise pour observer une particule qui danse devant mon masque. En la regardant de près, je remarque qu'il s'agit en fait d'une méduse microscopique qui se déplace par à-coups.

Je sens un frôlement sur ma palme. Je me retourne, mais je ne vois que le bleu, toujours ce bleu partout autour de moi, qui m'enveloppe et m'apaise. Je poursuis mon chemin sans véritable objectif. Ma palme est alors saisie brusquement et je suis tiré fortement vers le bas. Je regarde vers l'obscurité des profondeurs et je n'aperçois d'abord qu'un bras brunâtre et visqueux qui s'est enroulé autour de mon pied. Lentement, très lentement, se dessine la continuité de cet appendice qui semble descendre dans le noir jusqu'à l'infini. Et surgit de l'obscurité la silhouette entière de la bête qui monte vers moi. C'est une vision d'horreur. Une pieuvre géante, un immense amas de chair molle muni de tentacules plus larges et épais que mon corps tout entier et qui s'agitent avec avidité dans l'eau sombre. Je me sens minuscule, aussi petit que cette méduse que je regardais tout à l'heure. La terreur s'empare de moi.

Je me débats en espérant que la bête lâchera prise. Je tente de nager frénétiquement vers le haut. Le seul moyen de m'échapper est d'atteindre la surface, de quitter cet endroit. Je suffoque, en proie à la panique. Et, soudainement, je suis tiré vers le fond avec une force implacable. Un, deux, trois tentacules s'enroulent autour de mes jambes, de mes bras, de mon torse. Le détendeur ne me fournit plus assez d'air. J'aspire aussi fort que je le peux, mais je suis à bout de souffle. Je lance un regard vers le bas. La pieuvre est énorme, monstrueuse, déterminée. Ses yeux horribles sont fixés sur moi. Je suis prisonnier, je ne pourrai pas lui échapper. Elle entame sa longue descente vers les profondeurs, vers le nid où elle me tire. Je vais disparaître dans les ténèbres glaciales des fonds marins.

Je me souviens tout à coup du couteau que je porte à la jambe. Si seulement je pouvais l'atteindre... Un de mes bras est libre et je tente par tous les moyens de me tordre, de faire glisser ces énormes troncs qui m'entourent, pour atteindre ma cheville droite. J'y suis presque. Entraîné dans le tourbillon infernal du monstre, je dégage mon couteau. Je frappe le tentacule qui m'entoure le torse, encore et encore. Il se desserre et la créature a un soubresaut. Elle interrompt un instant sa descente, puis me serre à nouveau, plus fortement, me secoue dans tous les sens. Je me tortille avec toute l'énergie qu'il me reste, je tire, je pousse. Rien n'y fait. C'est très sombre maintenant. Si froid... La bête a ralenti. Elle m'approche de sa tête hideuse. Je sens ses dents transpercer ma chair, alors que je disparais dans sa gueule immense. Tout n'est que douleur et ténèbres.

Je prends conscience, tout en me débattant encore contre des tentacules imaginaires, que je suis dans un lit. En sueur. Un cri est resté dans ma gorge. Je ne crois pas avoir fait de bruit. Il est impossible de crier dans l'eau. Je tâte mes côtes, là où j'ai senti les crocs de la pieuvre s'enfoncer dans ma chair. Je suis intact. J'ouvre les yeux. Je suis dans la chambre de Justin. Ma chambre. Quelle est cette boule de chaleur appuyée contre moi ? Cette chose grouillante qui s'approche de mon visage dans l'obscurité ? Une langue humide me lèche le bras près de l'épaule. C'est Pénélope, elle a dormi avec moi. Elle a senti mon trouble et mon éveil. Elle est là pour me rassurer. J'allume la lampe au-dessus de mon lit et reste étendu sur le dos à écouter les sons de la maison. Tout est calme, à part un occasionnel craquement. La charpente, le plancher, que sais-je ? Un *plic ! plic !*

également, presque musical, serein. Le robinet de la cuisine qui fuit et que mon père n'a pas pris le temps de réparer. La respiration de Pénélope, son souffle chaud sur mon visage.

J'ai tué un homme. J'ai tué un homme ! Je me redresse. Des sentiments de satisfaction et d'horreur se mêlent en moi et font surface à tour de rôle. Je me lève pour tenter de chasser les images qui me hantent. Le sommeil semble m'avoir quitté pour de bon. Il est 3 h 31. Je suis saisi d'une faim dévorante qui me force à me diriger vers la cuisine. Les marches craquent, le *plic ! plic !* du robinet et le vrombissement du réfrigérateur s'amplifient, à mesure que je m'avance, dans le noir. J'y suis. J'ouvre le frigo. Le rectangle de lumière m'éblouit. Je saisis fébrilement un morceau de tarte, je n'ai jamais eu aussi envie de tarte de ma vie. Je ne pige même pas de fourchette dans le tiroir à ustensiles, je prends la pointe sucrée à pleines mains et me l'enfonce tout entière dans la bouche. Sans allumer la lumière, j'ouvre de nouveau le réfrigérateur, peinant à avaler. Un restant de pâté chinois, enfourné en trois bouchées. Un sac de carottes, trois pommes, un pot de Cheez Whiz, quatre tranches de pain, un paquet de jambon et un sac complet de biscuits au chocolat trouvé dans le garde-manger...

Je me laisse tomber sur le sol, gorgé, le ventre distendu. Le sang qui afflue vers mon estomac pour l'aider dans sa lourde tâche de digestion me laisse dans un état de douce béatitude. Pénélope est attentive à mes côtés. Elle espérait sans doute bénéficier de mon insomnie pour se garnir la panse. Sa patience n'a pas été récompensée. Je ne lui ai rien laissé. J'ai mangé, dévoré, engouffré tout ce qui me passait sous la main comme un animal qui n'aurait rien avalé depuis des jours. Je vois l'envie dans les beaux yeux de la chienne, une envie retenue, respectueuse. Je devrais me lever et lui trouver quelque chose à manger. Mais je suis trop repu pour me préoccuper réellement d'elle. Sa présence me fait du bien, pourtant. Je la flatte doucement. Je suis heureux qu'elle m'ait adopté. Le ventre plein, je glisse dans un sommeil sans rêve, le dos appuyé contre une armoire de cuisine.

✧ ✧
✧

À l'école, j'ai constaté un changement. Les élèves de ma classe, qui m'ignoraient royalement comme ils avaient toujours ignoré Justin, ne sont plus entièrement indifférents à mon égard. On dirait qu'ils m'apprécient. Je reçois des regards souriants, même si je parle peu. On me demande mon avis, de façon spontanée. Les filles me jettent des coups d'œil intrigués avant de parler vivement entre elles. Sont-elles sensibles à la nouvelle assurance que je possède, assurance que je ne me laisserai plus bousculer ni intimider ? Que je vais cesser de fuir ? Que je suis invincible ?... J'ai écrasé cet homme ! Je ne sais pas comment, mais je l'ai littéralement pulvérisé, plus facilement encore que j'écraserais une fourmi ! Un frisson me parcourt. J'ai tué quelqu'un. Cette certitude n'est plus tout à fait aussi enivrante ces derniers jours qu'elle l'était au début. Elle me laisse un goût amer dans la bouche. Et si la culpabilité qui me transperce le cœur comme une aiguille chaque fois que j'y pense ne disparaissait jamais ? Je suis las, tourmenté, je n'arrive pas à me libérer de ce fardeau. J'ai peur de devoir le garder avec moi toute ma vie, qu'il reste aussi intense, aussi tenace.

Il fait chaud dans la salle de classe, il y flotte la vague odeur de réchauffé d'une pièce mal aérée. Le cours d'histoire est long et pénible. Je suis assis presque complètement à l'avant, sur la gauche. Mon manque de sommeil se fait cruellement sentir. Je ne suis pas du tout intéressé par ce que dit le prof, qui parle d'une voix si monocorde qu'on dirait qu'il le fait exprès.

– La civilisation urbaine en déclin a engendré une société essentiellement agraire basée sur un système bien défini : le servage. La terre était divisée en fiefs et chaque fief était dirigé par un seigneur. Il tirait ses revenus des taxes et impôts qui pesaient sur les paysans vivant sur son territoire qui, une fois leur dû payé, avaient souvent à peine de quoi se nourrir.

Tous les élèves sont amorphes, avachis. Il y a Guillaume, assis juste devant moi, dont la tête oscille dangereusement et risque à tout moment de basculer. Ce n'est pas une référence, Guillaume s'endort toujours en classe. Il dit que c'est de la narcolepsie. C'est pour ça que le prof l'a placé dans la première rangée. Mais c'est encore pire parce que ça distrait tous les élèves, qui surveillent son maintien et qui font des paris à savoir dans quel cours il va s'endormir et le nombre de fois qu'il va le faire pendant la semaine. Par contre, en ce moment, tout le monde somnole sans lui accorder la moindre attention.

– Vers la fin du Xe siècle, la vie économique de l'Europe reposait presque totalement sur le système du servage. Ce système a permis le développement de la féodalité.

La salle est décidément surchauffée. Le balancement du crâne de Guillaume, sous mes yeux, est quasi hypnotique. Il se superpose aux images de la tête de l'homme que j'ai tué, oscillant dans le vide, le regard déjà éteint, avant que le corps n'ait eu le temps de s'écrouler...

– Les seigneurs n'étaient qu'une bande d'exploiteurs qui utilisaient la masse populaire à leur profit, comme le font encore les gouvernements actuels !

Cette rare exclamation du professeur, accompagnée d'un poing ferme écrasé sur son bureau, me tire un instant de mes pensées. Je me redresse sur ma chaise, tente de me concentrer. Marina, la fille assise à ma droite, m'adresse une moue complice et sympathique en me voyant me secouer. Elle a les cheveux blonds très courts et les lèvres pleines. Elle est jolie. Avant, j'aurais été figé par son regard, mais, après ce qui s'est passé, plus rien ne semble me surprendre ni m'atteindre. Je fais semblant de ne pas l'avoir remarquée. Le professeur est retombé dans son apathie habituelle.

– La définition de fief sous-entend que le seigneur à qui appartenaient les châteaux et les territoires le composant était lui-même soumis à l'autorité d'un suzerain.

Je replonge dans mes pensées. Comment j'ai fait ça ? Comment est-ce que j'ai réussi à déclencher cette puissance ? Je me sens seul, j'ai toujours été seul au monde et je le resterai probablement jusqu'à la fin de mes jours... Je n'arrive pas à chasser ce sentiment qui me glace. Je suis un assassin. Qu'arriverait-il si ça se reproduisait ? Et si je n'avais pas le choix ? Et si la seule façon de vivre et de cesser de fuir, pour moi, était de tuer à nouveau ? Je ne veux plus avoir peur, je veux rester ici. Je soupire et la lassitude envahit tranquillement mon esprit, tel un brouillard qui s'infiltre, s'épaissit et finit par prendre toute la place.

– Voyons ensemble plus en détail les deux aspects essentiels de la féodalité : les termes « fief » et « vassal ».

La voix du professeur est un bourdonnement à mes oreilles. Les images des derniers jours se succèdent dans ma tête, elles s'entremêlent. Je ne peux rien changer à ce que je suis en train de devenir. Malgré cette nouvelle assurance, une terreur sourde m'enveloppe comme un linceul. Mais pourquoi me tourmenter ? Ma tête est lourde... Je lâche prise. Je vois une rue, des maisons. Gregory, Pénélope, ma crise de bouffe. Je vois le bras de la jeune fille sous la patte de son agresseur. J'imagine ce bleu qui me berçait doucement dans mon rêve cette nuit et cette ombre des profondeurs à la recherche d'une autre victime. Et si le monstre, c'était moi ? Et si je m'étais mis à la place de ma victime, le temps du rêve ? Je revois l'homme, hostile, grimaçant un sourire en me dévisageant avec mépris. Je me souviens de ses yeux vacants, de l'expression de stupéfaction figée sur son visage et de sa chute, lente, interminable, en quart de cercle, les bras flottants, les jambes se dérobant sous lui. Le bruit sourd de son corps touchant le sol... Le craquement sinistre de son crâne heurtant une brique en saillie...

Drrring ! Je sursaute et tombe presque en bas de ma chaise. Mon livre s'écrase sur le sol, ouvert. C'est la fin du cours. Toute la classe se met à rire, saisissant bien que je me suis assoupi. Marina, comme les autres, rigole de bon cœur, les yeux pétillants. Je secoue la tête pour reprendre un peu mes esprits, ramasse mes affaires en silence et me dirige vers la cafétéria en titubant légèrement. Greg m'attend pour le lunch. Il fait le pied de grue en file pour le dîner. Je le rejoins, malgré les grognements que ça suscite dans la ligne derrière lui. C'est le brouhaha dans la cafétéria, avec tous les étudiants qui se dépêchent de commander et de trouver une place avec leurs copains. Les cris et les rires résonnent, les chaises grincent sur le plancher. Un mélange d'odeurs de nourriture et de friture flotte dans l'air.

– Ragoût de boulettes ou poutine ? me lance Greg.

Je ne réponds pas. Je n'ai quasiment pas dormi depuis trois jours et je me sens dans un état d'hébétude constant. Il répète sa question. Je sors de mes pensées.

– Les deux, lui dis-je machinalement.

– *Man*, je ne sais pas comment tu fais pour manger autant, c'est dégueu.

Greg choisit une salade, ce qui provoque un gloussement derrière nous.

– Il y a juste les filles qui mangent de l'herbe !

Un gars de dernière année, entouré de son groupe d'amis, s'amuse à ses dépens. Au lieu de me recroqueviller sous les railleries comme je l'aurais fait auparavant, je prends un plat de frites sur le comptoir et le place dans le plateau de Greg.

– Là, ça te fait un repas plus équilibré, dis-je en riant avec les autres.

Greg me jette un regard où je peux lire de la méfiance. On trouve une place où s'asseoir et on se met à manger en silence. D'habitude, mon ami parle tout le temps, mais là, il ne prononce pas un mot. Je ne suis pas très loquace non plus. Ça tourbillonne tellement dans ma tête que j'ai peur d'ouvrir la bouche et de dire quelque chose du genre : « Le gars que j'ai tué... » ou « Dans la ruelle où ils étaient... » Non ! C'est l'autre réalité, l'autre partie de moi que je dois séparer, isoler, que je ne peux pas révéler. La partie sombre qui doit rester cachée à jamais.

– Mes parents se sont encore engueulés hier soir, me lance enfin Greg, sans lever les yeux.

Ses parents sont en train de se séparer. Il a du mal à gérer ça. Je sens la tristesse pesante dans sa voix. L'impuissance, aussi, la frustration de subir cette situation qui le frappe de plein fouet, mais sur laquelle il n'a aucun contrôle.

– Je n'ai même plus envie de rentrer chez moi.

– Viens chez nous, ce soir. On fera nos devoirs ensemble et on travaillera sur le robot.

Le soulagement et la gratitude détendent ses traits renfrognés.

– Cool.

Deux filles se chamaillent près de l'entrée, provoquant une certaine agitation. Je lève distraitement les yeux. J'aperçois alors un visage familier qui vient d'apparaître juste derrière elles. Horrifié, je fixe la jeune fille qui me remarque à son tour. Qu'est-ce qu'elle fait là ?

– Attends-moi un instant, dis-je à Greg en me levant brusquement.

– Où tu vas ? me demande-t-il.

Sa question demeure sans réponse. Je me dirige lentement vers la fille. Elle porte encore les traces de son agression. Quelques égratignures en voie de guérison au visage. On dirait qu'elle ne s'est pas peignée depuis, ses cheveux roux, longs et frisés explosent dans tous les sens. Elle sourit en attendant que j'arrive à sa hauteur.

– Viens, lui dis-je.

Je sors et l'entraîne dans un coin tranquille près des cases.

– Comment as-tu fait pour me retrouver ? Qu'est-ce que tu me veux ?

La fille est surprise par mon ton. Ça la déstabilise un moment.

– Je... Je m'appelle Katherine. Kat. Je dois te dire ce que je sais. C'est pour ça que j'ai voulu te revoir. Il faut que tu me croies. Je pense que quelqu'un te cherche.

Il y a une certaine urgence, une pointe d'inquiétude dans sa voix qui attirent mon attention.

– Quoi ?

Elle regarde furtivement autour de nous.

– S'il te plaît, pas ici. Viens me rejoindre après les cours au Café Esos, me dit-elle en me tendant une petite carte avec l'adresse. Je vais tout t'expliquer.

Je plonge mes yeux dans les siens, j'essaie de la déchiffrer, de voir si elle me fait marcher. Est-ce un piège ? Elle semble sincère. Bizarre, mais sincère.

– OK.

Je prends la carte et Kat s'en va. Je vais retrouver Greg. La cafétéria est de plus en plus vide, les étudiants se préparent à retourner en classe.

– Tu étais où ?

– J'avais oublié, mais... je ne peux pas travailler sur le robot après les classes. J'ai une course à faire.

– Ah oui ? Où ça ? Je peux y aller avec toi, on rentrera ensemble après.

– Non. Rends-toi chez moi directement. Tu sais où est la clé. J'irai te rejoindre quand j'aurai terminé.

Gregory a l'air méfiant. La cloche sonne. On doit rejoindre nos classes respectives.

– Tu resteras à souper, tu sais que ça ne dérange jamais mes parents ! lancé-je.

Gregory émet un grognement qui semble vouloir dire oui et part sans un mot de plus.

✧ ✧
✧

Café Esos, 301, chemin du Souvenir. C'est près de chez moi. À deux pas de la ruelle... En fait, je dois passer devant pour me rendre à l'établissement. Ma poitrine se serre quand je tourne le coin de la rue et que j'aperçois l'enseigne de « Électroniques Chen ». Il me semble que c'était hier que je sortais du magasin, naïf et heureux. Je traverse la rue pour ne pas me trouver directement devant le lieu de l'agression. Mais, quand j'arrive à sa hauteur, je ne peux pas m'empêcher d'arrêter et de contempler les bennes à ordures et les zones d'obscurité que la fille va sans doute craindre à jamais. J'imagine des silhouettes qui se déplacent dans le noir, au fond de l'allée. Des ombres sans corps, des spectres mouvants. Je frissonne, comme ça m'est arrivé souvent ces derniers jours. L'homme, immatériel, flottant parmi les déchets, le regard vide, mort... Oui, même son *âme* a été détruite. Il ne reste rien de lui. Rien... Je n'aime pas où mon esprit m'amène et je décide de poursuivre ma route, tentant de chasser les images de ma tête. Revoir la ruelle n'a pas été agréable du tout. Je crois que, la prochaine fois, je ferai le détour par la rue des Collégiens pour ne pas passer devant.

Moins d'un pâté de maisons plus loin, je me trouve devant le café. J'hésite un instant, puis j'ouvre la porte. Je suis accueilli par le tintement d'une clochette et une odeur d'encens qui me rend un peu mal à l'aise. De la musique *new age* sort des petits haut-parleurs accrochés au plafond. Sur un babillard à l'entrée sont épinglées une multitude de petites affiches annonçant des séances et des cours divers. Sur la première, je lis: «Découvre ton moi intérieur». Elle montre des silhouettes d'humains, l'une avec une licorne à la place du cœur, l'autre avec un tigre, l'autre encore avec une fleur... Une fleur? Si c'était ça, mon *moi* intérieur, je serais pas mal découragé. Je me demande si je suis au bon endroit, c'est vraiment... trop *weird*. Mais j'aperçois la fille que j'ai sauvée. Elle est assise à une table près de la fenêtre et me fait signe. Je m'installe devant elle. Elle me sourit, un peu gênée. Des volutes de vapeur s'échappent du bol qu'elle tient entre ses mains.

– Tu veux un café?

– Pas vraiment, merci. Au fait, je m'excuse de ne pas t'avoir demandé tout à l'heure... Je vois que tu as récupéré de ce qui t'est arrivé...

– Je ne veux pas en parler, dit-elle brusquement.

Je constate qu'elle porte un chandail aux manches longues qui ne parviennent pas tout à fait à camoufler les ecchymoses jaunâtres sur ses poignets.

– Mais... merci, ajoute-t-elle en adoucissant la voix.

Katherine dépose son bol devant elle et me contemple. Son silence me met mal à l'aise. Elle ferme les yeux et inspire doucement, comme si elle prenait le temps de humer quelque chose et qu'elle s'en délectait. Mais quoi ? Je recule brusquement.

– Qu'est-ce que tu fais ? m'exclamé-je.

– Oh... Je te *ressens*, répond-elle. Tu sais que tu dégages une énergie extraordinaire ? Forte, pure, brillante...

– Tu es dingue ou quoi ?

– Mais non ! Je t'explique... Comment dire... Je... je fais des voyages astraux...

Je ne peux pas m'empêcher de rouler les yeux. C'est reparti. Et pourquoi pas avec des petits hommes verts en plus ?

– Ah ! Tu atomises littéralement quelqu'un dans une ruelle avec une forme d'énergie que tu es capable de générer toi-même, mais tu ne crois pas aux voyages astraux ? Qu'est-ce qui est le plus invraisemblable à ton avis ? se fâche Kat.

– Tu vas le dire ? Tu vas me dénoncer ? dis-je en lançant des regards inquiets autour de moi.

Kat me fixe attentivement.

– Je veux comprendre, c'est tout. Tu m'as sauvée. Je veux t'aider et je sens que tu vas en avoir besoin.

– Pourquoi j'aurais besoin d'aide ?

– C'est juste un *feeling*. On dirait qu'il se passe quelque chose. Mais encore là, ce n'est que mon sixième sens qui parle et tu ne dois pas croire à ça...

Elle a raison. J'ai toujours préféré me tenir loin de ces histoires d'ésotérisme et de paranormal. Elles me rendent inconfortable. Mais, avec ce qui s'est passé l'autre jour, je conviens qu'il est difficile de porter un jugement sur l'étrange. Tout est désormais possible.

– C'est bon, je t'écoute.

– Si ce que je te dis ne rime à rien, tu pourras toujours t'en aller, ajoute-t-elle.

J'acquiesce.

– Tammy, demande-t-elle à la serveuse, tu veux lui apporter une limonade à la fleur d'oranger ?

Puis, reportant son attention sur moi, elle poursuit :

– Je reprends du début. Je fais des voyages astraux. Quand je me promène, c'est comme si j'oubliais que j'avais un corps terrestre. Je flotte. Je rencontre d'autres âmes comme moi. Quand je t'ai vu l'autre jour, j'ai eu l'impression de te reconnaître. Pas physiquement, mais énergétiquement. Après, j'y ai réfléchi et je ne pense pas que c'est toi que j'ai déjà rencontré. Je crois que c'est quelqu'un *comme* toi.

Trouver quelqu'un comme moi, je ferais n'importe quoi pour que ça arrive. Je me prends à rêver tout à coup... Et si ses voyages astraux étaient réels ? Et s'il y avait vraiment quelqu'un d'autre ?

– Explique-toi, lui demandé-je.

Kat retient sa réponse le temps que Tammy apporte mon verre.

– Tu vas voir, me dit la serveuse, c'est super bon.

Je suis impatient que Kat poursuive, mais les deux filles attendent que je goûte à la limonade. Je prends donc une gorgée et je suis étonné par l'explosion de saveurs dans ma bouche. Kat me sourit, tandis que Tammy s'éloigne.

– Certaines choses peuvent être agréablement surprenantes, même si, à première vue, elles sont étranges..., me lance-t-elle avec un sourire en coin.

– Pourquoi tu as dit : « quelqu'un comme toi » ? insisté-je.

Kat est satisfaite. Elle a désormais toute mon attention.

– Les corps astraux sont des lumières. En fait, pas vraiment... Plutôt une énergie qu'on perçoit comme une lumière. C'est un peu compliqué à expliquer... Mais j'en ai croisé un qui était vraiment différent des autres. Son énergie était beaucoup plus forte, très concentrée. Jamais je n'ai vu ça avant. Ni après. Sauf quand je t'ai rencontré.

– Tu lui as parlé ?

– On ne peut pas se parler dans ce monde-là. Mais je t'ai senti, toi, à travers lui. Ou plutôt à travers *elle*.

– Elle ?

– Oui, c'est une fille. Elle doit avoir ton âge. Je ne sais pas pourquoi, mais elle te cherche. J'en suis sûre. Elle recherche l'énergie qui s'est dégagée quand tu as fait ce... ce truc. Tu es beaucoup, beaucoup plus puissant que tous les autres. Tu le sais, bien sûr ?

– Quels autres ? Puissant comment ? Je ne comprends pas.

– Tu avais fait ça avant, non ? Tu avais déjà...

Kat laisse sa phrase en suspens.

– Non, jamais.

Je fixe la table. Des flashs du visage dépourvu de vie de l'homme s'écroulant sur le sol me reviennent en tête. Il tombe au ralenti. Je ferme les yeux. Kat reste silencieuse. Je lève la tête et lis la pitié dans son regard.

– Je... Je revois toujours le moment. Je n'arrive pas à chasser les images de mon esprit, confié-je brusquement à Kat.

Elle pose délicatement sa main sur la mienne.

– On est hantés par la même chose, alors, me dit-elle doucement. Mais même si... si un homme est mort... tu m'as sauvée et je ne l'oublierai jamais.

– Tu ne vas rien dire, alors ?

– Je n'ai pas parlé de toi quand les policiers ont pris ma déposition et ça ne changera pas. Il n'y a pas d'autre témoin. Et le rapport d'autopsie a conclu que l'homme est mort d'une crise cardiaque. On a appelé ma tante ce matin pour le lui annoncer.

Je pousse un soupir de soulagement, plus bruyant que je ne l'aurais voulu.

– Merci. Je veux rester ici encore un peu...

– Rien ne t'oblige à partir, on commence à peine à discuter.

La clochette de la porte tinte. Je suis distrait, perdu dans les milliers de pensées, de sentiments, de questions et d'images qui se bousculent dans ma tête. Je parle sans réfléchir.

– Je viens d'arriver. Je ne veux pas encore changer de corps.

– Là, c'est à mon tour de te demander des explications..., me fait remarquer Kat.

Je sens une présence à mes côtés. Je lève la tête. Gregory se tient devant notre table, le visage fermé, boudeur.

– C'est qui, elle ? demande-t-il en désignant Kat du menton.

- 8 -
Le secret de Jo

Professeur Adam. Elle flottait. Un flash éblouissant, qui a secoué l'essence même de ce qu'elle était. Elle n'arrivait plus à bouger ! Partir, oui, elle devait partir. Elle devait fuir. Le corps du professeur, tordu par la décharge du défibrillateur. Elle était là, elle a vu les efforts de réanimation, elle a senti le stress et l'anxiété. Puis, elle a perdu conscience. Mais elle était toujours là. Elle les entendait, elle s'est fait secouer. *Sofia ! Sofia !* On l'a appelée. Tout était saccadé. Elle a revu ce flash extrême qui a gonflé son corps tout entier, qui l'a parcourue, transpercée, habitée. Elle a entendu la sirène de l'ambulance. Elle voulait qu'on l'arrête. Tout allait si vite, elle était brusquée, déplacée, allongée, on l'a fait rouler à toute vitesse, on l'a transférée de civière. Elle a senti tout ça, mais elle était incapable de bouger. Ce rayon qui est brusquement venu la saisir, apparaissant de nulle part... *C'était lui.* Elle a oublié un instant le Sykran du professeur Adam à ses côtés. Elle a tout oublié pour plonger dans le courant. Et c'est à ce moment que s'est produite l'explosion...

Mais tout est calme maintenant. Plus de cris, plus de brouhaha, juste un silence réconfortant. Un silence habité par une présence rassurante. Et tout à coup, Sofia se souvient. *Le professeur ! Son Sykran a éclaté...*

– Jeffrey Adam est mort, dit-elle.

Sofia ouvre les yeux. Elle perçoit des ombres floues autour d'elle. Le néon au-dessus de son lit. Où est-elle ? Même odeur de javellisant. Elle est encore là, ils l'ont laissée là ! Non, c'est différent. Sofia sent un mouvement. Elle voit une ombre qui se déplace, s'approche de son visage. Elle n'est pas inquiète pourtant. Cette ombre est douce, bienveillante... Elle se dessine plus clairement. Sofia reconnaît enfin sa mère, dont le visage inquiet, mouillé de larmes, est penché au-dessus d'elle.

– Ça va, ma puce ? lui demande Jo en contenant difficilement ses larmes de soulagement.

Sofia regarde autour d'elle. Elle voit mieux, maintenant. Elle est dans une chambre d'hôpital.

– Il est mort, n'est-ce pas ? demande Sofia à sa mère.

Jo se laisse enfin aller et éclate en sanglots. Elle fait *oui* de la tête, mais elle n'arrive pas à parler, secouée de spasmes. Sofia lui prend la main.

– Je vais bien... Maintenant, je vais bien.

– Mais qu'est-ce qui s'est passé ?

Sofia ne sait pas par où commencer. Elle a eu peur, très peur. Le professeur Adam est mort. Elle est à l'hôpital. Sa mère mérite de savoir.

– Il faut qu'on discute, maman.

Jo éclate en sanglots de plus belle. Tout ce qu'elle a toujours voulu, c'est que sa fille lui parle. Elle voudrait tellement pouvoir l'aider. Mais Sofia n'a jamais rien partagé de cette mission qu'elle semble s'être donnée il y a si longtemps. Jo a toujours pensé que Sofia avait un but bien précis en tête. Mais jamais elle n'a eu accès à l'univers de sa fille. Jamais elle n'a pu comprendre. Jo ne peut pas croire que Sofia va maintenant l'y laisser entrer.

– Je t'écoute.

– Pas ici. S'il te plaît, je veux rentrer à la maison.

✧ ✧
✧

Enfin arrivée chez elle après une nuit en observation à l'hôpital, Sofia se recroqueville sur le sofa, enveloppée d'une grande couverture en polar. Elle se sent lasse, mais beaucoup mieux que la veille. Jo entre dans la pièce, portant deux tasses de liquide fumant. Elle en remet une à sa fille et s'assoit sur le divan près d'elle. La céramique est brûlante sous les doigts de Sofia. Elle entend sa mère aspirer un peu de tisane. Elle ne parvient pas à trouver les mots. Jo lui sourit simplement. Après être restée un moment silencieuse, la jeune fille se lance.

Elle parle à sa mère des voyages qu'elle fait depuis toujours. De ce monde où elle se rend. Elle lui raconte aussi, et surtout, ce qu'elle cherche. Qu'elle a toujours ressenti ce vide, ce manque, a toujours eu l'impression de ne pas être complète. Sofia avoue à quel point elle est convaincue que l'Exéité est la clé. Que c'est à partir de là qu'elle pourra avoir des réponses. Qu'elle pourra peut-être enfin, un jour, être en paix et cesser de sentir que quelque chose ne va pas. Elle en a marre, plus que marre, elle sait que la solution n'est pas loin et quand elle a entendu la conférence du professeur... Ça fait tellement longtemps qu'elle cherche...

Jo écoute sa fille lui parler, lui révéler ses tourments intérieurs et ses peurs. Elle assemble peu à peu toutes les pièces du casse-tête dans son esprit. Elle comprend d'où vient la fascination de Sofia pour les civilisations anciennes. Elle se rend compte que la jeune fille qu'elle croyait connaître dispose d'un monde parallèle avec ses secrets, ses bouleversements, ses peines, ses agonies, ses frustrations... et qu'elle n'a jamais rien su de tout cela. Qu'elle n'a jamais appartenu à ce monde. Depuis toutes ces années qu'elle explore l'univers des âmes, jamais Sofia n'en a glissé un mot à sa mère. Pourtant, Jo ne doute pas un seul instant de ses dires. Elle sait dans ses tripes que tout ce que sa fille vient de lui raconter est bien réel. Ça explique tant de choses...

✧ ✧
✧

Chaque fois qu'elle repense à ce qui s'est passé, Sofia sent une rage sourde, alimentée par un sentiment de trahison. Comment sa mère a-t-elle pu lui cacher ce secret si longtemps ? Elle sort de sa chambre, traverse le salon, ramasse son manteau sur le crochet et quitte l'appartement sans même avoir pris le temps de le mettre, sans un mot ni un regard en direction de sa mère.

– Sofia ! lance Jo.

Mais la porte est déjà refermée. Jo n'en peut plus. Elle comprend que Sofia ait été sous le choc. Qu'elle ait été furieuse sur le coup. Mais deux semaines plus tard, elle commence à trouver que toute l'affaire prend des proportions démesurées.

La jeune fille a entendu sa mère l'interpeller alors qu'elle claquait la porte et s'éloignait dans le corridor de l'immeuble, mais elle n'arrive pas encore à faire autre chose que de l'ignorer. Sofia sait bien que ça ne pourra pas durer éternellement. Elle commence déjà à être beaucoup moins fâchée. Il est peut-être temps de ravaler son amertume et de reprendre le dialogue...

Dehors, il fait un froid sec, glacial. La neige grince sous ses pas. Sofia se dirige vers l'université. Elle franchit le portail du campus et s'approche d'un petit bâtiment de trois étages en pierre grise, qui est écrasé par le poids des édifices voisins plus élevés. La bouffée de chaleur qui l'accueille à l'entrée lui fait un bien immense. Sofia frotte ses mains l'une contre l'autre pour les réchauffer.

– Je peux t'aider ? lui demande un concierge.

– Je cherche le Dr Thomas Andersen.

– Connais pas. C'est un professeur ?

– Non, un résident, je crois, poursuit Sofia.

– La salle commune est au deuxième, peut-être qu'on pourra te renseigner là-bas.

Sofia monte le large escalier et, attirée par le bruit, trouve rapidement la salle en question. Elle s'approche d'une table.

– Excusez-moi, vous savez où je peux trouver Thomas Andersen ? demande-t-elle à un étudiant.

Celui-ci hausse les épaules. Son ami lève le nez de son livre et désigne une jeune femme, en train d'étudier un peu plus loin.

– C'est son ex. Peut-être qu'elle sait où il est.

La femme doit avoir environ vingt-deux ans. Ses cheveux sont lisses, souples et brillants. Elle lève la tête et sourit à l'approche de l'adolescente. Ses dents sont blanches et droites. Elle est parfaite, songe Sofia avec une pointe d'envie.

– On m'a dit que tu saurais peut-être où je peux trouver Thomas ?

L'attitude de la fille change du tout au tout. Elle regarde rapidement autour d'elle. Elle semble inquiète, angoissée.

– Qu'est-ce que tu lui veux ? demande-t-elle rapidement.

– Juste lui parler...

Son interlocutrice jette à nouveau des coups d'œil autour d'elle, indécise.

– Qui es-tu ?

– Je dois le voir, insiste Sofia, une certaine tension dans la voix.

– Thomas ne travaille pas en ce moment. Il a dû prendre congé.

– Comment ça, il lui est arrivé quelque chose ?

– C'est temporaire. Il va revenir. Quand on aura fait la lumière sur ce qui s'est passé.

Évidemment ! Prise dans toute l'agitation entourant l'affaire, Sofia n'a pas pensé une seconde que Thomas allait se retrouver dans l'eau chaude, en raison des événements.

– J'étais là quand c'est arrivé. Je peux l'aider !

– Donc, c'est vrai ? s'enquiert la jeune femme.

– Quoi ?

– Il n'a rien à se reprocher ?

– Je ne pense pas. S'il te plaît... si tu sais où il est, donne-moi son adresse, la prie à nouveau Sofia.

L'ex de Thomas arrache un bout de papier de son cahier et griffonne fébrilement dessus.

– Tiens.

Heureusement, Thomas n'habite pas très loin de l'université. Sofia se rend devant une porte recouverte d'une épaisse couche de peinture violette, sur le côté d'une vieille maison du ghetto étudiant. C'est un quartier que Sofia aime malgré ses résidences délabrées, louées chaque semestre à des universitaires peu soigneux. Elle sonne et attend, mal à l'aise. Une ombre se dessine à travers les carreaux de la porte. Puis, elle disparaît. Et revient. La porte s'ouvre.

Thomas est en train d'enfiler une paire de jogging par-dessus son boxer. Visiblement, il ne s'est pas rasé et sans doute pas lavé depuis quelques jours. Une tache huileuse est figée en plein centre de son t-shirt gris. Il a les cheveux en bataille et l'air un peu hagard de quelqu'un qui n'a pas dormi depuis très longtemps. En fait, à voir Thomas dans cet état, Sofia ne sait plus si elle doit entrer ou non.

– Je vois que... tu vas bien. Je m'étais informé à l'hôpital, est-ce qu'on te l'a dit?marmonne-t-il, hésitant, en se grattant la tête et en fixant le sol.

– Non, je ne savais pas. Merci.

– Entre et installe-toi. Donne-moi cinq minutes.

Sofia pénètre dans le logement. Thomas la laisse au salon et se dirige vers le fond, tout en ramassant au passage une partie des boîtes de pizza et des bouteilles de bière vides qui traînent un peu partout. Une odeur de bouffe et d'alcool flotte dans la pièce. La jeune fille reste debout et explore l'endroit du regard. Malgré le désordre, elle ne peut s'empêcher de trouver les lieux charmants. C'est le chez-soi d'un gars. Un gars qui fait toujours autant d'effet à Sofia, malgré son apparence plutôt douteuse d'aujourd'hui. L'adolescente contemple la bibliothèque murale. La plus grande partie de celle-ci est parfaitement ordonnée. Intriguée, Sofia constate que les livres sont même classés en ordre alphabétique de nom d'auteur. Par contre, une section de l'étagère ressemble un peu à celle qu'elle a dans sa chambre, débordante et échevelée, avec des bouquins dans tous les sens...

Elle regarde le titre des ouvrages qui reposent sur le coffre qui sert de table à café : *La Mésopotamie : de Sumer à Babylone* et *Manuel de l'électro-encéphalogramme de l'adulte*. En un instant, la jeune fille est replongée dans l'atmosphère de la clinique du sommeil. Elle sent sa tête tourner légèrement et s'assoit. Alors qu'elle reprend ses esprits, Thomas entre dans la pièce en terminant de se sécher les cheveux avec une serviette. Il ne s'est pas rasé mais, au moins, il porte des vêtements propres. Il s'assoit sur le sofa à côté d'elle.

– Je suis vraiment désolé, commence-t-il en se tordant légèrement les mains.

– Si tu m'expliquais ce qui s'est passé ? demande Sofia doucement.

– Jeffrey, il... a décidé de te rejoindre. Il m'a juré que c'était convenu avec toi. Il a voulu que je lui injecte un truc. J'ai refusé, mais j'ai accepté de continuer à suivre tes signes vitaux et les siens. J'aurais dû lui dire non !

– J'ai vu le professeur dans l'Exéité. J'ai ressenti ses intentions, son obsession. Ça ne l'aurait pas empêché de se lancer, même si tu t'y étais opposé.

– Peut-être, mais il a perdu la vie ! Et là, je suis ici à tourner en rond, alors que je pourrais travailler ! Heureusement que j'avais laissé la caméra vidéo fonctionner. Toute la conversation entre le professeur et moi a été filmée. Je l'ai donnée à la police. Ça devrait être assez pour éviter des accusations au criminel. Mais pour ce qui est d'un blâme ou d'une suspension, c'est une autre histoire... J'ai quand même regardé un homme s'injecter de l'opium sans l'en empêcher !

– Il n'est pas mort à cause de la drogue.

– Comment ça ? demande Thomas, surpris.

– C'est ma faute s'il n'a pas survécu.

Sofia explique à Thomas ce qu'elle a ressenti dans l'Exéité et le rayon d'énergie qui l'a transpercée de part en part.

– Ne culpabilise pas pour ça. Tu n'avais aucun contrôle sur ce qui se passait !

L'adolescente reste silencieuse, perdue dans ses pensées.

– Je n'aurais jamais dû accepter de l'aider, s'obstine Thomas.

– Et je n'aurais jamais dû me faire analyser pendant que j'étais en transe. Je croyais que le professeur me fournirait les réponses que je cherche. Mais il nous a roulés tous les deux.

– Oui, sauf que moi... je suis un adulte, poursuit Thomas, piteux.

– Tu veux dire par là que c'est normal qu'il ait manipulé une *petite fille* de seize ans alors que tu aurais dû le voir venir, toi, le grand de quoi... vingt-trois, vingt-quatre ans ?

– Je ne voulais pas suggérer ça. Je ne fais que des gaffes, ces temps-ci.

Thomas s'écrase dans le sofa, complètement découragé. Puis, contre toute attente, il se met à sangloter comme un enfant. Sofia est saisie.

– J'ai déclaré aux enquêteurs que c'était Jeffrey qui avait tout planifié, lance-t-elle.

– J'ai mis ta vie en danger, poursuit le résident sans vraiment l'écouter. Je ne pourrai jamais me le pardonner. Je n'arrête pas d'y penser.

Sofia rassemble son courage et pose sa main sur le bras de Thomas.

– Ma vie n'était pas en danger à cause du professeur. Il s'est passé quelque chose là-bas que je n'arrive pas à expliquer. Crois-moi, ça n'avait rien à voir avec toi.

Elle s'approche encore un peu de Thomas et il s'appuie sur elle, tandis qu'elle l'étreint. Après quelques secondes qui paraissent comme une éternité de bonheur à Sofia, les deux se rendent compte de l'étrangeté de ce moment d'intimité et se séparent.

– Merci, dit Thomas simplement.

– Tu veux savoir ce qui est réellement arrivé ? Alors, aide-moi. S'il te plaît.

– Qu'est-ce que tu veux que je fasse ?

L'espace d'un instant, Sofia l'imagine passer les bras autour de sa taille et l'embrasser. Mais elle se contente d'aller à l'essentiel.

– Je veux que tu m'aides à voler des papiers dans le bureau de Jeffrey.

– Ah bon. D'accord.

– Tu acceptes ? fait Sofia, surprise que ça ait été si facile.

– Bof, au point où j'en suis...

✧ ✧
✧

Une fois que Sofia a avoué à sa mère l'existence de son monde parallèle en sirotant sa tisane, elle a eu besoin d'expliquer ce qu'elle avait vécu parce qu'elle n'arrivait pas à le comprendre. Elle avait indéniablement senti quelque chose de très puissant. Mais ça n'avait pas été mauvais ou inquiétant. Au contraire, c'était presque trop beau, trop fort, trop parfait. Sofia avait vécu une forme de plénitude qu'elle n'avait jamais connue avant. Un sentiment de bien-être sans pareil. C'est ce bien-être, cette certitude, qui l'avait habitée et qui lui avait fait oublier un instant où elle se trouvait. Elle s'était connectée au rayon d'énergie parce qu'elle était attirée par lui et qu'elle refusait de contenir ou de repousser cette forte attraction. Elle n'avait même pas essayé de résister. Mais elle ne comprenait pas pourquoi ça avait affecté le professeur Adam.

Subitement, Jo a fait un lien qui ne lui était pas encore venu à l'esprit. La journée où c'était arrivé, quelques minutes avant de recevoir l'appel du jeune homme qui lui avait annoncé que Sofia était en direction de l'hôpital... Les émotions et la suite des événements lui avaient fait oublier qu'à l'instant même où Sofia flottait dans l'Exéité, Jo avait perdu connaissance et s'était réveillée allongée, à demi sur le sofa, à demi par terre. Il n'y avait plus de doute. Elle savait désormais ce que Sofia cherchait. Et elle devait tout lui révéler.

✧ ✧
✧

– Ça ne fonctionnera jamais ! dit Thomas d'une voix étouffée. Je ne sais pas plus que toi comment crocheter une serrure.

– On avisera sur place, lance Sofia.

Elle marche d'un pas déterminé vers le bureau du professeur Adam. Sofia sait maintenant pourquoi Jeffrey est mort. En partie. Elle doit en apprendre plus, il le faut ! En tournant le coin du corridor, l'adolescente salue négligemment un étudiant qui marmonne une réponse sans s'arrêter de texter, les yeux rivés sur son téléphone. Il ne lui a même pas jeté un œil. Thomas marche derrière Sofia, un peu moins sûr de lui. Il la rejoint alors qu'elle contemple la porte, perplexe. Le jeune homme vérifie rapidement pour voir si quelqu'un est assez près pour les entendre.

– C'est ce que je te disais, fait Thomas à voix basse. Comment vas-tu t'y prendre pour entrer sans la clé ?

Thomas n'a pas remarqué que le cadre a été forcé et que la porte est légèrement entrouverte. Sofia la pousse et ils découvrent que le bureau de Jeffrey a été pratiquement vidé de tous les papiers qu'il contenait. Il ne reste que ses livres qui gisent pour la plupart sur le sol. Les tiroirs bâillent, leur contenu est sens dessus dessous. L'ordinateur de Jeffrey trône au milieu de la pièce, fracassé.

– Merde ! s'exclame Thomas.

– Ils ont tout pris, ou presque..., lance Sofia d'un ton découragé.

Elle ramasse un livre et le ferme pour en lire le titre. Elle soupire et dépose l'objet sur la table.

– Ils ont oublié ça ! s'écrie Thomas, enthousiaste.

Le jeune homme brandit un vieux cartable de cuir brun. Il connaît les habitudes du professeur et il sait qu'après chaque conférence à laquelle participait Jeffrey Adam, ce dernier rangeait religieusement ses notes dans un cartable qui pouvait très bien passer pour un livre... et qui est resté sur une tablette de la bibliothèque.

– Les notes de sa dernière conférence. Celle à laquelle tu as assisté, poursuit Thomas.

– J'y étais, comme tu dis, alors qu'est-ce que ça change d'avoir ses notes ?

– Tu ne connais pas Jeffrey ! Je peux t'assurer que *toute* l'information qu'il a amassée au sujet de la conférence se trouve dans ce cartable.

Thomas a l'air extatique.

– Il avait tellement peur que quelqu'un lui pose une question à laquelle il ne pouvait pas répondre qu'il retranscrivait l'essentiel de chaque livre, de chaque rapport, de chaque article qu'il avait lu sur le sujet. Regarde !

Thomas ouvre le classeur et tend une feuille à l'adolescente qui la parcourt des yeux, médusée. Le papier est totalement recouvert d'une écriture minuscule, morcelée en un millier de notes et de petits mémos différents. Il n'y a pas l'espace pour y ajouter ne serait-ce qu'une seule lettre. Thomas prend une Sofia encore incrédule par les épaules et lui fait un très large sourire.

– Impressionnant, non ? Toutes les pages sont comme ça, lance-t-il. C'est le jackpot ! Mais... peut-être qu'on devrait aller lire ça ailleurs ?

✧ ✧
✧

Sofia a vu sa mère se figer tout à coup, l'air interdit, plongée dans des souvenirs douloureux. Elle lui a demandé ce qui n'allait pas, mais Jo n'a rien répondu. Elle s'est contentée de rester immobile, le regard dans le vide, le nez et la bouche cachés par ses mains, comme pour s'empêcher de révéler un lourd secret. Mais c'était inutile, Jo devait tout raconter à sa fille.

Alors, elle a commencé à parler de la joie qu'elle avait eue d'être enceinte et de son excitation au moment de l'accouchement. À l'époque, elle avait souri en sentant les premières contractions qui avaient serré son ventre. Elle était confortablement installée dans une chambre couleur pêche, des photos de bébés souriants accrochées au mur. Tout se passait bien. Reggie, le père de Sofia, restait à ses côtés, attentif. Jo était sur un nuage. C'était parti pour être la journée la plus extraordinaire de sa vie. Ça avait plutôt été un cauchemar épouvantable. Pourtant, rien ne laissait présager quoi que ce soit.

C'était au moment où Jo avait senti qu'il lui fallait pousser, au moment où elle avait fourni l'effort ultime pour donner naissance à son enfant, que quelque chose s'était passé, un coup violent, une déchirure aveuglante, assourdissante. Elle avait perdu connaissance sous la puissance de l'onde de choc qui l'avait frappée de plein fouet. Et quand elle s'était réveillée, plus d'une heure plus tard, elle avait su que quelque chose d'horrible était arrivé. Elle ignorait ce que c'était, mais un sentiment pesant, une atmosphère de drame flottait dans la pièce. Les portraits accrochés au mur n'avaient plus le même sourire. Ils semblaient faux, irréels. Reggie avait le visage décomposé. Elle lui avait demandé, non, elle lui avait crié de lui dire ce qui s'était passé...

Tout au long du récit de sa mère, Sofia la fixait avec de grands yeux bien ronds. Elle savait que Jo s'apprêtait à lui révéler une information déterminante. Elle connaissait une grande partie de l'histoire, mais il y avait certains détails qu'elle n'avait jamais entendus... Par exemple, Jo lui avait dit que, bébé, elle avait failli mourir. Son cœur avait cessé de battre et elle avait dû être placée sous respirateur artificiel pendant plus de deux semaines, oscillant entre la vie et la mort. Mais ce n'était pas ça. Il y avait quelque chose d'autre. Quelque chose de pire encore. Quelque chose qui avait fait sombrer son père dans une dépression si profonde qu'il ne s'en était jamais remis et avait préféré disparaître de leur vie, plutôt que d'offrir le spectacle désolant de ce qu'il était devenu.

Jo a fait une pause et a contemplé sa fille avec tendresse et tristesse. Puis, elle lui a annoncé: «Tu avais un frère jumeau, Sofia. Et il est mort à la naissance.»

✧ ✧
✧

La coquerelle s'est aventurée un peu trop loin. Elle le sait et tente de faire marche arrière entre les bottes maculées de boue qui s'agitent autour d'elle. Frénétique, la bestiole se dirige vers le mur où il y a cette fissure. Elle pourra s'y glisser. Vite. Vite. S'y glisser. *Scroutch!* Une semelle s'abat sur elle d'un seul coup, puis presse en tournant pour bien l'écraser. Une, deux, trois coquerelles remplacent la première, complètement insensibles au sort de leur congénère.

Des hommes au visage dur sont assis autour d'une table, dans une grande pièce dénudée. Ancienne boucherie mal entretenue, l'endroit a conservé dans ses murs une odeur de sang qui attire les insectes et les rats. Les trois hommes sont en train de feuilleter des pages entièrement recouvertes de notes manuscrites. L'écriture est minuscule et va dans tous les sens. Deux des hommes se jettent des regards découragés. Le doyen, un bloc massif de muscles et d'os, les ignore, plongé dans sa lecture.

– Tu comprends quelque chose, toi? hasarde un des deux premiers.

– Ça m'emmerde, mais je comprends, bougonne le troisième sans lever la tête.

– Qu'est-ce que ça va lui donner, au boss, d'avoir ça?

– Toi, tu es payé pour lire et trouver quelque chose. Pas pour poser des questions. Clair?

Les trois se remettent en silence à feuilleter les pages. Mais pour Gale, impossible de rester concentré. Il a de la difficulté à lire, alors les notes touffues d'un professeur d'université le dépassent totalement. De toute façon, il n'a jamais été capable de rester en place trop longtemps. Ce boulot est une vraie torture. Depuis qu'ils sont entrés dans le bureau du mort et qu'ils sont revenus ici, ils ne font qu'éplucher des feuilles et des feuilles de textes incompréhensibles. Gale aimerait juste se lever pour un temps. Faire autre chose. Il soupire, suit un instant une coquerelle des yeux, absorbé par sa course hyperactive. Il déteste ces bêtes-là. Il tend le pied et l'écrase avec un bruit sec et gluant à la fois. Puis, il prend la pile de documents devant lui. Ses yeux s'attardent un moment aux mots écrits en plus gros. Il ne les comprend pas, surtout pris hors contexte. Il brasse quelques feuilles pour avoir l'air de travailler. Un petit papier plié tombe sur le sol. Il avait été glissé entre deux documents. Gale le ramasse sans hâte. Il le déplie et déchiffre les mots. Heureusement, l'écriture est ronde et régulière.

« Je connais le monde dont vous parlez. J'ai vu les Sykrans. Aidez-moi et je vous dirai tout ce que je sais. »

C'est suivi d'une adresse courriel. Un petit frisson de fierté parcourt Gale.

– Les gars, on a une piste, dit-il simplement.

- 9 -
Une rencontre à faire frémir

Quand l'Erreur a disparu dans la Kidité, le monde dans lequel vivent les humains, en possédant deux corps, la créature qui avait été engendrée pour la détruire a compris qu'elle ne pourrait pas accomplir sa tâche seule. Elle a émis dans l'Exéité une vibration sourde, profonde, orangée, qui a attiré à elle tous les Chakrans. Obnubilés par sa puissance et protégés par elle, les Chakrans l'ont suivie, comme des soldats un général, obéissant au moindre de ses ordres.

Ils sont assis autour de la table de la cuisine, une bière à la main, le regard sombre. Ils se taisent et ruminent. Un bébé hurle dans un des appartements voisins et l'endroit est si mal insonorisé que c'est comme si l'enfant était avec eux dans la pièce. Une pièce minuscule où les quatre hommes sont presque entassés les uns sur les autres. Une odeur de sueur alourdit l'atmosphère déjà pesante. Le bébé ne cesse de crier. Sa voix est enrouée, ça fait longtemps qu'il s'époumone sans qu'on s'occupe de lui. C'est un cri désespéré, fatigué, affamé. Un cri à faire frémir n'importe qui.

– Y a-t-il quelqu'un qui va l'étouffer, qu'on ait la paix ? marmonne un des hommes.

Les trois autres ne réagissent pas, trop absorbés par leur rage.

– Mike, qu'est-ce qu'il a dit, le boss ? demande Danny à l'homme à la vilaine cicatrice.

Celui-ci le regarde d'un air sombre.

– Qu'est-ce que tu en penses ? répond-il, sarcastique.

Ils gardent un instant le silence, qui n'est meublé que par les pleurs continus venant de l'appartement voisin. Danny se lève. Il écrase sa main droite sur la table, ce qui fait sursauter les autres.

– Il nous faut le gars de la ruelle. Je veux lui enfoncer mon poing dans la face jusqu'à ce qu'il meure.

– Pas de conneries. Le boss le veut vivant, dit Mike, sombrement.

– Mais il a tué Will ! proteste Danny.

– On va l'écraser ! On va le massacrer ! lance un autre en se levant d'un coup.

– Le boss a dit vivant. Il n'a pas dit en un morceau..., concède Mike.

– L'écraser ! Le massacrer ! L'écraser ! Le massacrer ! enchaînent les autres en chœur d'une voix grave.

Leur cri guttural et profond est comme une pulsion. Ils tapent du pied pour accentuer l'effet, complètement insensibles au sort du locataire du dessous. Leur excitation animale est perceptible, ils sont fébriles, agités, agressifs. Ils poussent ensuite un râle rauque et brutal, un cri sauvage qui se répercute partout dans le minuscule appartement. Même l'enfant hurleur s'arrête un instant, saisi par la force et la bestialité de ce qu'il entend. Puis, il se remet à vagir lamentablement.

✧ ✧
✧

Comme presque tous les jours ces temps-ci, Kat est assise à sa place habituelle, devant son bol de café, songeuse... Elle est constamment entourée de choses étranges, mais, cette fois, elle a le sentiment d'être en plein scénario de film. Et ce que Justin a commencé à lui dire avant que son ami ne l'interrompe... Qu'est-ce que ça signifie ? Qui est ce garçon ? Kat est convaincue qu'il est vraiment très spécial.

Elle ne sait pas pourquoi elle a croisé son chemin, mais elle a un rôle à jouer pour qu'il réussisse. Ce qu'il doit réussir, ce qu'elle devra faire et ce qu'il lui en coûtera, elle n'en sait rien. Brièvement, des émotions lui serrent la gorge, de la peur, un sentiment d'impuissance abominable. Des images, aussi, apparaissent comme de petites bulles de terreur qui éclatent. Les souvenirs de son agression dans la ruelle. Tout cela est trop douloureux, trop effrayant. Kat refuse de laisser entrer ces pensées pénibles dans son monde, le monde qu'elle a si soigneusement construit et qui l'entoure et la protège comme de la ouate. Il n'y a pas de place pour les pleurs, les angoisses et les tourments. Elle les a enfouis profondément en elle il y a bien longtemps, quand ses parents sont morts, et elle refuse de les laisser refaire surface. Elle force son esprit à se concentrer exclusivement sur l'éclair, cette onde de choc si puissante qu'elle en était visible. Une décharge dirigée vers un individu bien précis qui a payé de sa vie le fait de s'être frotté à un garçon en colère de seize ans... Mais ce Justin ne semble pas savoir ce qu'il a fait, ni comment il l'a fait. « Je ne veux pas encore changer de corps. » Kat a beau retourner ces paroles en tous sens, les interpréter de toutes les façons possibles, rien ne la satisfait vraiment. Elle hausse les épaules, puis se lève pour payer.

– La maison te l'offre aujourd'hui, dit Tammy.

Kat lui adresse un grand sourire, reconnaissante. Elle ne tient jamais pour acquis les gestes de générosité de ses amis et elle est toujours agréablement surprise quand ils se manifestent. Depuis le temps qu'ils la connaissent, Tammy et Ronald sont capables de reconnaître quand elle a besoin de la petite tape sur l'épaule, du petit geste qui va la mettre de bonne humeur et lui faire passer une meilleure journée. Kat ne leur a rien révélé au sujet de l'attaque dont elle a été victime. Elle ne s'en sent pas capable. Elle se trouve sale, dégoûtante, et ne veut certainement pas revivre ce moment dans les yeux de ses amis chaque fois qu'elle les voit. Elle ne veut pas de pitié, elle ne souhaite pas se confier. Juste oublier... Elle y est déjà arrivée une fois. Elle sera capable de le faire à nouveau.

Kat sort du café en boutonnant son manteau d'une main. Elle pousse la porte avec son dos, tandis qu'elle envoie un baiser en direction de Tammy.

– À demain ! lance la serveuse en lui répondant avec un clin d'œil.

– Je t'adore ! ajoute Kat en rigolant.

La jeune fille se retourne et descend les deux marches qui séparent la porte du café du trottoir. Il fait plus frisquet aujourd'hui, la main de l'hiver se resserrant brutalement sur les gens qui quittent la chaleur des bâtiments. Le sol est sec et gelé. En arrivant sur le trottoir, Kat, distraite, entre en collision avec un piéton qui marche la tête baissée. Ils s'examinent un instant, déstabilisés. Rapidement, la surprise se transforme en questionnement de part et d'autre. Kat croit reconnaître l'individu, mais où donc l'a-t-elle déjà vu ? Un visage large, un nez court, légèrement retroussé et de petits yeux ronds qui donnent à l'ensemble un air résolument porcin. L'homme fronce légèrement les sourcils, lui aussi en train de se demander pourquoi le visage de Kat lui est familier. Tout ceci a lieu en l'espace d'une demi-seconde, le temps qu'ils repassent les événements en mémoire. Finalement, leur expression se transforme. Celle de l'homme se durcit, ses paupières se plissent, un sourire mauvais se dessine sur son visage. La figure de Kat se décompose, ses yeux s'agrandissent de terreur. Fuir ! Fuir ! Fuir ! Son cerveau envoie un signal d'alarme qui se rend finalement à ses muscles. Elle détale aussi vite qu'elle le peut, la poitrine comprimée, incapable d'inspirer sauf en haletant. Mais elle court, court comme si sa vie en dépendait, sans réfléchir, sans un regard en arrière. Kat court jusqu'à ce qu'elle ne sente plus ses jambes, qu'elle ne soit plus capable de reprendre son souffle. Puis, elle continue malgré tout, transportée par la frayeur pure. Elle ne réfléchit pas, elle ne sait pas où elle se trouve, ni où elle va.

Danny reste planté au milieu du trottoir et la suit des yeux. Sale garce. Il observe la porte qu'elle a empruntée pour sortir, puis lève les yeux pour lire l'enseigne du café. Il entre et s'approche du comptoir. Tammy l'accueille. Il examine l'endroit avec une moue de dédain évident peinte sur le visage. Tout en fixant froidement la serveuse, il lui adresse un sourire faussement aimable, qui découvre deux palettes proéminentes, séparées par un trou suffisamment large pour y glisser un petit doigt.

– La jeune fille qui vient de sortir, commence-t-il d'un ton forcé, c'est une habituée ?

– Kat ? Absolument, elle est ici tous les jours. Pourquoi ? Vous la connaissez ?

– Merci, se contente de répondre l'homme en s'inclinant légèrement.

Un dernier sourire, plus fin, plus satisfait, se trace sur son visage. Il se retourne et quitte le café sans ajouter un mot.

✧ ✧
✧

Je suis écrasé dans le sofa de la salle familiale. Greg est debout. Nous visionnons tous les deux *Bouffeurs d'acier : Combats extrêmes*. Il s'agit d'une version améliorée de notre émission fétiche. Deux équipes de six robots s'affrontent dans une large arène circulaire, recouverte d'un dôme de verre. L'effet est spectaculaire. Des fusées se déclenchent à l'arrivée des robots pour le tour de démonstration. Des gerbes d'étincelles et de lumière jaillissent tout autour. Les spectateurs échauffés crient avec le même enthousiasme que s'ils assistaient à un combat de gladiateurs. Les décibels montent d'un cran quand ils aperçoivent les bêtes de métal déployer leurs disques à déchiqueter, leurs lance-flammes mortels et leurs pinces acérées. Une musique heavy metal joue à l'arrière-plan. L'ambiance est si bruyante que les deux animateurs doivent littéralement hurler dans le micro pour se faire entendre, ce qui pourrait être très agaçant si nous n'étions pas totalement concentrés sur les robots. Greg les observe avec une attention particulière.

– Regarde ! L'équipe des Fondeurs montre ses muscles !

– Ouais, ils sont impressionnants, dis-je.

– Pas du tout ! lance Greg. Ils sont en train de donner tous leurs trucs à leurs adversaires ! Et on voit tout de suite qu'ils ne travaillent pas en équipe.

En effet, chaque bête est contrôlée individuellement et on ne distingue aucun effort concerté. L'autre équipe, par contre, se contente de faire un lent tour de l'arène, les six robots de front, aucun ne faisant une démonstration de ses armes, aucun ne s'affichant comme le plus fort ou le plus rapide.

– Ça, c'est *hot* ! s'exclame Greg. Ça envoie le message qu'ils sont unis, tout d'un bloc, et qu'ils n'ont pas de faiblesse.

– Je savais que tu aimais ça, mais je ne me souvenais pas que tu étais si branché en stratégies de combat...

– Tu veux rire? *Le Prince* de Machiavel est mon livre préféré ! J'ai vu documentaire par-dessus documentaire sur les guerres napoléoniennes et la Seconde Guerre mondiale.

Mon ami marche de long en large dans la pièce, sans quitter la télévision des yeux. Je suis impressionné par sa lecture de l'affrontement, avant même que celui-ci ne soit commencé. L'arène est scindée en deux par une large ligne centrale. Un rectangle rouge est tracé à l'arrière, de chaque côté. L'objectif de chaque équipe est de placer trois de ses six robots dans le rectangle au fond de la zone adverse. Les monstres de métal se placent tous selon des positions prédéterminées et le signal du départ est donné. Les yeux brillants, ne manquant pas une seconde de l'action, Greg saute légèrement sur place.

– Les Destroyers vont gagner, affirme mon ami. Regarde encore une fois comment ils travaillent ! Ils restent groupés et commencent par protéger leur territoire plutôt que de se précipiter individuellement à l'attaque comme l'équipe des Fondeurs.

– Peut-être que leurs robots sont vraiment poches, hasardé-je.

Greg me regarde comme si j'étais devenu attardé.

– Tu sais que les robots ne peuvent pas être de calibres vraiment différents pour participer. Ils n'ont aucun risque de perdre ! déclare-t-il, très sûr de lui.

Je choisis de ne pas m'obstiner. Mais où je vois douze robots qui s'affrontent un peu n'importe comment, Greg voit des stratégies, de l'ordre. Soudain, coup de théâtre, un des Destroyers se met à dégager de la fumée et ralentit subitement. Tels des faucons, deux Fondeurs se précipitent sur lui pour l'achever.

– Là ! Là ! Je te parie que...

Greg laisse sa phrase en suspens, le temps que le robot endommagé attire ses deux assaillants à l'écart et que quatre Destroyers foncent à une vitesse ahurissante vers le but des Fondeurs, qu'ils envahissent avant même que l'autre équipe ait le temps de réagir.

– C'est ça ! C'est ça ! Le robot en difficulté, c'était un leurre ! Le sacrifice de l'un au profit du groupe. Classique ! Ça fait juste deux mille cinq cents ans que Sun Tzu l'a écrit dans *L'Art de la guerre*...

Mon ami tape dans ses mains, ravi. J'essaie de ne pas me montrer trop surpris, mais je dois avouer que je suis complètement dépassé. Greg a vraiment des talents insoupçonnés.

– Il faut qu'on s'inscrive à ces combats, poursuit-il, encore surexcité.

– Mets-en, tu serais notre général ! ajouté-je.

Il se met à rêver à l'effet que ça lui ferait et il se gonfle de fierté.

– « Gagnera, celui qui saura contenir des forces supérieures tout comme des forces inférieures. Gagnera, celui dont l'armée est possédée d'un seul et unique esprit victorieux. Gagnera, celui qui, s'étant préparé, attend de surprendre son ennemi non préparé... »

– Hein ? C'est une prière ? fais-je, interloqué.

– Excuse-moi. C'est encore Sun Tzu. Je le connais par cœur. Je suis un peu trop enthousiaste, hein ?

Je rigole de bon cœur. Sa passion est contagieuse et je me dis qu'avec quelqu'un comme lui à la barre, on aurait vraiment des chances de conquête... Reste à terminer notre robot et à trouver cinq autres participants qui accepteraient de se faire mener par un *nerd* de seize ans !

La sonnette retentit, suivie de coups précipités contre la porte. Mon ami et moi échangeons un regard, perplexes. Je me lève et vais répondre. En ouvrant, je découvre une Kat tremblante, les yeux un peu égarés, désespérée, à bout de souffle, ramassée sur elle-même. Elle fait pitié à voir. Je la fais entrer sans un mot. Une fois la porte close, elle hésite un instant, puis fond littéralement en larmes en se lançant dans mes bras. Elle ne s'arrête pas pendant un bon moment.

– Wow..., dis-je, embarrassé. Qu'est-ce qui t'est arrivé ?

– Je ne savais pas quoi faire, ni où aller..., réussit-elle à articuler à travers ses sanglots.

Greg s'approche dans le corridor et pointe la tête dans l'entrée, pour me trouver là, étreignant Kat qui s'est complètement abandonnée contre moi. Ouf... Ce ne sera pas facile à gérer. J'ai pu constater que mon ami accepte assez mal de ne plus avoir l'exclusivité de mon attention. Son animosité envers cette fille est évidente. Et la voilà qui arrive comme un cheveu sur la soupe, en plein milieu de son grand rêve de conquête. J'avais laissé mes coordonnées à Kat au café, avant de partir précipitamment pour éviter que Greg ne fasse une scène. Mais je n'aurais jamais imaginé la voir débarquer chez moi comment ça, à l'improviste ! Par contre, c'est évident qu'il s'est passé quelque chose de grave et que je dois trouver le moyen de m'isoler un moment avec elle.

– Euh... Greg, tu veux bien ?... commencé-je en lui indiquant des yeux la porte du garage.

Il lance un regard noir à Kat, mais il se dirige sans un mot vers l'atelier. J'entraîne la jeune fille vers la cuisine.

– Tu veux quelque chose ? lui demandé-je.

Elle fait non de la tête.

– Tu as verrouillé la porte ? s'inquiète-t-elle.

– Oui. Pourquoi est-ce que tu courais ?

Je commence à être vaguement alarmé. J'ai une idée de sa réponse, mais je ne suis pas certain d'avoir envie de l'entendre. Parce que si, effectivement, Kat a été suivie par un des malfaiteurs de la ruelle tel que je le pense, elle les a menés droit jusqu'à moi.

– Je ne crois pas avoir été suivie, me dit Kat, lisant dans mes pensées.

Elle enroule ses bras autour de son corps, comme si elle souhaitait se rassurer, et elle se balance légèrement sur le tabouret sur lequel elle a pris place. Un frisson violent la secoue des pieds à la tête.

– Je suis tombée face à face avec l'un d'entre eux, en sortant du café. Je savais que c'était un risque de retourner là-bas, c'est si près de la ruelle. Mais c'est aussi chez moi, complète-t-elle en étouffant un sanglot. Il y avait tant de haine dans son regard...

Ces gars-là ne doivent pas être habitués à rencontrer beaucoup de résistance et je me doute qu'ils sont plutôt enragés par ce qui est arrivé. Ce n'est pas tant pour moi que je suis anxieux. Je sais bien ce qui m'arrivera s'ils me tombent dessus. Au mieux, je les tuerai. Au pire, je changerai de corps. Mais mes parents ? Mes amis ? Si je pouvais être sûr d'être capable de refaire mon tour de la ruelle, je ne serais pas si angoissé. Mais depuis que c'est arrivé, j'ai tenté de trouver en moi ce qui m'a animé à ce moment-là, sans succès.

– Tu devrais le dire à la police, hasardé-je.

– Ouais... peut-être bien. Mais toi et moi sommes les seuls à savoir ce qui s'est réellement passé et je ne peux pas m'empêcher de me sentir plus en sécurité avec toi qu'avec eux.

– C'est cool, je suis flatté, mais je ne suis pas convaincu de pouvoir régler ton problème !

– Avant que ton copain se pointe au café, l'autre jour, tu as commencé à me dire quelque chose du genre : « Je viens d'arriver dans ce corps, je ne veux pas partir. » Je n'arrête pas d'y penser, mais j'avoue que je ne saisis pas.

Visiblement, j'ai beaucoup trop parlé. Par contre, Kat m'inspire confiance, je ne peux pas le nier. Si quelqu'un, une seule fois dans ma vie, pouvait être à même de me comprendre, c'est sans doute elle. Et puis, j'ai tellement de questions, d'inquiétudes, je veux savoir qui je suis, d'où je viens et pourquoi je suis comme ça. Mais je n'arriverai pas à trouver seul, ou alors, ça va me prendre beaucoup trop de temps. Je ne peux pas abandonner Katherine aux mains des monstres de la ruelle. Je refuse d'admettre qu'ils pourraient s'attaquer à Greg ou à mes parents. Si je ne suis pas capable de les protéger comme j'ai réussi à défendre Kat, je leur dois au moins de tenter de les aider avant d'être propulsé dans une autre vie... J'ai peur. Je tiens déjà beaucoup à eux, même si ça ne fait pas si longtemps que je suis ici.

– Tu n'as pas à chercher plus loin, commencé-je à voix basse. Ce que j'ai dit, c'est exactement ce qui s'est produit.

– Je ne comprends toujours pas. Tu peux *changer* de corps ?

Greg a volontairement laissé la porte du garage entrouverte. Cette fille ne lui dit rien du tout et il veut savoir ce qui se trame entre Justin et elle. Il se tient donc dans l'entrebâillement afin de saisir la conversation qui se déroule dans la cuisine. Pour le moment, tout cela reste flou.

– Je sais, c'est bizarre, chuchote Justin. Je suis un *freak*. Depuis que je suis né, je saute de corps en corps quand ma vie est en danger. Je me promène d'un monde à un autre, sans pouvoir le contrôler.

– Sans blague ? Et tu as roulé les yeux quand je t'ai avoué que je faisais des voyages astraux ? lance Kat, qui peine à en croire ses oreilles.

Greg se met à pouffer de rire, seul dans l'atelier. Kat est vraiment cinglée. C'est évident que Just est en train de lui raconter n'importe quoi pour qu'elle parte plus vite. Il écoute de plus belle, anticipant la suite avec délectation.

– En ce moment, je suis dans le corps d'un gars qui s'appelait Justin. Avant lui, je me suis appelé Alex pendant une journée. Avant ça encore, Max.

– C'était ça, l'éclair que tu as produit dans la ruelle quand le gars est tombé devant toi ?

– Non, rien à voir. Voilà déjà quasiment trois semaines que je suis devenu Justin.

Hi, hi. Pas possible... Mais, tout à coup, le sourire s'efface du visage de Greg. *Justin chute de la chaise où il était assis. Il est secoué de convulsions sur le sol. Gregory l'appelle, mais il ne réagit pas. La bave coule sur son menton, son regard est vide. Gregory lui met la main sur l'épaule. Son ami le repousse violemment d'un mouvement spasmodique. Il se tortille comme un ver, puis se calme, prend une profonde inspiration et vomit.* Tous les morceaux du puzzle se placent. La crise d'épilepsie. Le caractère si différent de Just. Son incapacité à travailler sur le robot. Sa chienne Pénélope qui le boude... Ce n'est pas son ami qui est là dans la cuisine, mais un être, une chose qui le possède et le contrôle !

La peur se met à grouiller dans le ventre du garçon. Il a parlé avec cette créature, il l'a crue alors qu'elle lui racontait n'importe quoi. C'est lui qui a passé le plus de temps avec elle et pourtant, il n'a jamais compris ce qui était arrivé. Ça lui semble tellement évident maintenant, aussi impossible que ça puisse paraître. Une rage profonde et noire monte en Greg et se mêle à la peur qui le maintenait sur place. Il se sent trahi. Mais, surtout, il ne sait pas ce que cette chose pourrait lui faire si elle constatait qu'il sait tout.

Sans réfléchir plus longtemps, Gregory sort discrètement du garage, le cœur dans la gorge, ramasse son sac et son manteau dans l'entrée et part le plus silencieusement et rapidement possible.

✧ ✧
✧

Ronald est planté devant le café Esos, *son* café, en chandail à manches courtes, malgré le froid sibérien de la nuit. Son souffle rapide crée un nuage de buée qui se faufile à travers ses cheveux grisonnants, raidis par la glace. Il est hagard. Les flammes sortent de la vitrine de son établissement et lèchent le deuxième étage du bâtiment où se trouve son logement. Une épaisse fumée noire s'élève dans le ciel, sinistre. Les pompiers s'activent. Ils parviendront peut-être à sauver les immeubles adjacents, mais Ronald sait qu'il est trop tard pour le sien. Son café et sa résidence, aussi bien dire toute sa vie, sont une perte totale.

- 10 -

Le côté obscur de la force

Des cendres, de la suie, des colonnes de bois calcinées et complètement recouvertes de glace, qui pointent pitoyablement vers le ciel comme des doigts décharnés.

Lorsqu'elle a reçu l'appel de Tammy, Kat a insisté pour que je l'accompagne. Quand je lui ai demandé pourquoi, elle m'a répondu qu'elle se sentait plus forte en ma présence et que ça la rassurait de me savoir à ses côtés. Je suis donc ici à geler, transpercé par l'humidité jusqu'aux os, entouré de tous ces gens qui pleurent et se réconfortent. Je me tiens un peu à l'écart, je n'ai jamais été confortable avec les épanchements émotionnels. Mais là, j'assiste à une scène qui mettrait n'importe qui mal à l'aise.

Certaines personnes se promènent encore sur le site de l'incendie, sans doute pour tenter d'en déterminer la cause. Des curieux s'arrêtent. Mais ils sont là autant pour constater les dégâts que pour observer le petit groupe éploré. Kat est en compagnie d'un homme aux longs cheveux gris, de Tammy la serveuse et de deux femmes potelées. Le visage de l'une, dégoulinant de larmes teintées de mascara, contraste avec celui de l'autre, totalement dépourvu de couleurs. Ils se tiennent ensemble, un peu comme des joueurs de football se concertant sur la stratégie du prochain jeu. Des lamentations s'échappent de la bouche des malheureux, qui émettent une plainte puis retombent en pleurs à tour de rôle. Ils sont parfaitement synchronisés, comme si le tout avait été répété auparavant. Leur manège est décidément trop étrange et je voudrais être n'importe où sauf ici.

Envahie par une douleur sourde, Kat n'est pas consciente de ce qui se passe autour d'elle. Elle pleure dans les bras de ses amis. L'odeur légèrement saline de leurs larmes se mêle à celle, plus tenace, du feu. Le café Esos est détruit. Kat sent le bras de Ronald sur le sien. Il la tient, ému. Elle se souvient de l'étau dans lequel l'homme l'a retenue tandis qu'elle se faisait dévisager par les autres. Ses parents ensanglantés, affalés sans vie dans les sièges avant, il y a si longtemps déjà. Son propre regard sur Justin quand il a dit : « Je saute de corps en corps. » La trahison éprouvée malgré elle en ne le considérant pas tout à fait humain. L'agression, ces mains multiples qui la palpent, fortes, violentes. Le froid, les odeurs, l'impuissance. Elle hurle, attachée dans son siège d'enfant, couverte du sang de sa mère. Pourquoi ne vient-on pas la chercher ? Le café disparu. Kat a l'impression de voir sa vie s'écrouler devant ses yeux.

Elle a perdu toute protection, elle est complètement vulnérable. Elle a peur, férocement peur, et est surprise de constater, tout en gémissant avec les autres, que la frayeur et la peine sont deux sentiments qui peuvent être ressentis en même temps.

Ça fait une demi-heure que le vent glacial me passe à travers le corps. Je ne sens plus mes mains, ni le bout de mon nez. Je n'en peux plus.

– Je crois que je vais rentrer... À moins que tu aies besoin de moi ? lancé-je à Kat sans m'approcher.

Elle n'entend pas, ne perçoit pas la morsure du froid, hypnotisée par ses pleurs. Je décide de m'éloigner. J'essaie d'éviter de regarder ce qui reste du café Esos, mais mon regard est attiré vers ce tas de cendres et de suie qui contient les souvenirs d'une vie. Ça me rappelle trop ce qui m'habite quand je change de corps et que tout ce que je possède disparaît.

– Qu'est-ce que tu fais ?

Kat s'est détachée du groupe et me rejoint. Son visage est baigné de larmes et elle tremble doucement.

– Tu n'es pas gelée ? lui demandé-je. Moi, oui.

Elle se blottit contre moi, son corps secoué de sanglots. Je suis vraiment triste pour elle. Je sais qu'elle a besoin de moi. Qu'elle veut que je sois là pour la protéger de tout ce qui lui arrive, mais je ne peux rien faire pour l'aider et ça me rend dingue. Je sens les regards de certains passants se poser sur nous, tandis que Kat gémit. Je décide de me ficher de ce que les autres pensent. Je l'étreins. Elle pleure encore, bruyamment, avec des hoquets, de la morve et tout. C'est la seconde fois en deux jours.

Je ne sais pas si je dois continuer à la tenir ou la laisser aller. Finalement, après un long moment, elle se détache légèrement de moi.

– Je ne veux pas que tu partes, me dit-elle, gênée, en s'essuyant le visage avec les manches de son manteau.

– OK.

– Excuse-moi, me dit Kat en levant les yeux vers moi.

– De quoi ?

– Hier... D'avoir pensé que tu étais un extraterrestre.

La discussion avait été assez mouvementée. J'imagine que mon secret est un gros morceau à avaler pour n'importe qui, même pour quelqu'un de prédisposé à entendre la vérité.

– C'est normal. Moi aussi, quand je t'ai rencontrée, j'ai pensé que tu étais une extraterrestre.

– C'est vrai ?

– Pourquoi tu penses que je me suis enfui ?

J'ai réussi à la faire rigoler.

Kat sent une boule dans son ventre qui se délie. Ça lui fait du bien. Une tension incroyable qui s'est accumulée sans qu'elle s'en rende compte et qui tombe d'un coup. Les épaules de la jeune fille se relâchent. Reconnaissante, elle sourit à Justin. Puis, elle l'empoigne par la manche.

– Suis-moi que je te présente.

Danny sourit. Il a demandé à être affecté à la surveillance du café. Son boss n'a pas pu dire non, puisque c'est lui qui est tombé face à face avec la petite. Assis à une table du restaurant chinois de l'autre côté de la rue, il n'a pas quitté la scène des yeux depuis plusieurs heures. Il a ressenti de l'excitation quand il les a vus arriver, tous les deux. Il attendait depuis déjà très longtemps quand, enfin, ils se sont pointés, il y a environ une heure. Ils sont là, le gars et la fille.

Le gars... Danny ne comprend pas. Ce n'est qu'un enfant, juste un bébé à la peau douce, et il a tué un des leurs. Danny se demande même un instant si ses souvenirs sont bons. Ça ne peut pas être lui. Il le voyait plus âgé. Plus grand, plus féroce. Pourquoi se sont-ils tous enfuis devant un gamin ? La rage et l'humiliation lui montent à la gorge.

Je suis encore planté là à attendre. Plus près du groupe, comme si Kat ne voulait pas me laisser m'éloigner, de peur que je lui fausse compagnie. Mais je me sens d'une inutilité...

Cet incendie n'est pas un accident. J'en mettrais ma main au feu, si j'ose dire. Je pense que Kat le soupçonne aussi, mais qu'elle n'a pas encore eu le temps d'y penser vraiment. Ça ne peut pas être un hasard, étant donné sa rencontre d'hier matin avec un de ses agresseurs... La nervosité me gagne. Je n'aime pas ça. J'ai l'impression d'avoir une cible collée dans le dos. D'être sur les lieux du crime.

À travers la vitrine du restaurant, Danny observe les gens qui pleurent sans arrêt et fait une moue de mépris. Visiblement, ces gens-là ne savent pas se contrôler. Lui, il ne braillait pas comme ça quand sa mère le rouait de coups de pied. S'il pleurait, elle le frappait encore plus fort. Elle l'a battu jusqu'à ce qu'il grandisse et qu'il soit capable à son tour de lui donner une volée. L'homme sourit, perdu un instant dans ses pensées. Il suit du regard la jeune fille qui sort du groupe pour retrouver le garçon. Danny sait que ce n'est qu'une question de temps avant qu'il ne les attrape tous les deux. Il sait aussi ce que les autres ont prévu de faire à l'adolescent. Mais lui, c'est la fille qui l'intéresse. Il passe lentement sa langue sur ses lèvres, qui deviennent luisantes de bave.

Il était là, tard hier soir, juste au moment où le café venait de voir partir son dernier client de la journée. Entouré d'une forte odeur de friture, Danny sortait du restaurant chinois et se préparait à rentrer chez lui, chassé de son poste par la fermeture de l'établissement. Il apercevait encore le propriétaire à l'intérieur du café, mais il était sûr que plus personne ne viendrait à cette heure-là. Il allait regagner l'appart. C'est là qu'il a remarqué la silhouette encapuchonnée.

Danny a reconnu l'attitude coupable de quelqu'un qui s'apprête à faire un coup. Instinctivement, il s'est caché dans l'ombre et a suivi l'individu des yeux. La silhouette était mince, frétillante comme le chat que Danny a étranglé une fois qu'il n'avait rien de mieux à faire. Elle traînait quelque chose de lourd. Elle s'est faufilée dans l'entrée du stationnement du café et est disparue du champ de vision de son observateur. Celui-ci a alors choisi de traverser la rue pour s'approcher discrètement. Plaqué contre un mur, l'homme a lentement habitué ses pupilles à l'obscurité et a pu constater qu'il y avait du mouvement au fond de la cour. Il a entendu un *glou, glou* distinct. Puis, il a vu une lueur jaunâtre. Des pas se sont mis à résonner entre les bâtiments, et la silhouette a filé devant lui à la course, sans le remarquer. Danny a voulu découvrir ce qui s'était passé derrière le café. Il a avancé, mais s'est arrêté brusquement. Il reconnaissait l'odeur âcre qui lui emplissait les narines. La lueur qui illuminait maintenant clairement la cour et les bacs à ordures : le feu !

Danny s'est alors dit qu'il devait pourchasser celui qui avait fait ça. Il ne savait pas pourquoi, mais il le fallait. Disparaissant à nouveau dans les ombres, comme lui seul en était capable, il s'est lancé à la suite de l'inconnu. Il ne comprenait pas pourquoi quelqu'un d'autre avait voulu mettre le feu au café alors que c'était son idée, mais il ne pouvait pas négliger cette piste. Il n'affronterait pas l'individu ce soir, pas sans l'autorisation de son boss. Mais il saurait qui il était. Le patron pourrait ensuite décider du sort qui lui serait réservé.

Depuis quelques minutes, je ne sens plus le froid qui m'emprisonne. Ou peut-être que je suis si transi que je ne me rends plus compte de rien. C'est probable. J'ai l'esprit engourdi, mes idées ne défilent plus à toute vitesse comme lorsque je suis arrivé sur les lieux de l'incendie. Elles prennent le temps de s'accrocher un moment.

Je regarde Kat. Une tendresse monte en moi. Je sais ce que c'est de perdre ses repères. C'est difficile de s'y retrouver seul. J'ai besoin de Kat pour découvrir qui je suis. Et elle a besoin de moi pour survivre. Je ne peux pas la laisser tomber. Je ne veux pas abandonner Greg non plus. Je sais qu'il a entendu ma conversation avec Kat. J'ai eu beau l'appeler hier soir, aller chez lui ce matin, il refuse de me parler. Je comprends. Il se sent trahi, j'imagine. Il croit que je suis un *freak*. J'espère que je pourrai le convaincre que je ne lui ai jamais voulu de mal...

✧ ✧
✧

– Je n'ai pas faim ! lance Greg à sa mère à travers la porte avant de se laisser tomber sur son lit, exaspéré.

Il a besoin d'être seul. Après une nuit blanche, il est fatigué. Il ne sait plus trop où il en est. Tout se mêle dans son esprit, se bouscule, tourbillonne. Il distingue mal la réalité de la fiction.

L'adolescent se redresse, les jambes repliées contre lui. Il se balance rapidement d'avant en arrière, crispé, en se frappant le dos contre le mur. Le feu. Justin. Le monstre. Tout ça, c'est la faute de la fille. Une sorcière, une salope de sorcière qui a contrôlé son ami. Il l'a senti dès qu'il l'a vue la première fois. Il y a quelque chose de pas normal avec cette fille. Dès que Just a commencé à la fréquenter, tout s'est mis à mal tourner. C'est à cause d'elle qu'il a *changé*. Mais Greg a compris ce qui se passait et il a mis le feu. Le feu au café... Pas le choix. C'était un nid. Les sorcières ont toujours un nid. Greg devait le faire. Sinon, il aurait été le prochain à subir leur colère...

Ses épaules s'affaissent. Il baisse la tête, laisse tomber mollement ses jambes. Comment a-t-il pu faire une chose pareille, lui qui est toujours si sage ? Et surtout, pourquoi ? C'est cette histoire qu'il a entendue. Mais sa rage s'est subitement retournée contre la fille. Il n'a vu qu'elle, n'a pensé qu'à elle et à son groupe. Y avait-il seulement un groupe ? Greg commence à se dire qu'il a eu tort. Qu'il a tout imaginé. Que ce n'est qu'un rêve. Mais l'odeur persistante de l'essence sur ses mains lui rappelle que ça s'est passé pour vrai. Le jeune homme fond en larmes, renversé par un flot de culpabilité. La peur lui noue le ventre. Il pleure, regarde la porte de sa chambre, pensant un instant qu'il doit tout dire à son père. Lui, il saura quoi faire pour régler ça.

Non ! Son père ne pourra rien pour lui. Et puis, il n'habite même plus à la maison, depuis la séparation. Greg se redresse et se remet à se balancer, encore plus rapidement que tout à l'heure. Il doit s'arranger tout seul. C'est pour ça qu'il a mis le feu. Parce qu'il est capable, maintenant, d'agir seul. De décider de ce qu'il faut faire et de quand il faut le faire. Greg éclate d'un rire nerveux, dément. Il ne s'est jamais senti aussi bien de sa vie ! Si puissant, tellement puissant. Il a réussi à vaincre ses peurs, à les dominer, à faire un homme de lui. Mieux qu'un homme, un justicier ! Le garçon inspire profondément, la tête droite. Avant tout, il va attendre encore un peu, puis il ira voir si Justin est redevenu lui-même. Oui, Just sera libéré, il le faut. Greg va retrouver son ami tel qu'il était avant. Ils vont finir leur robot. Tout va redevenir normal et personne ne saura jamais pour le feu.

Mais sa folie incendiaire a peut-être coûté la vie à des gens ! Le désespoir envahit de nouveau le garçon. Il ne comprend pas ce qui l'a poussé à agir ainsi. Il était furieux, blessé, choqué par ce qu'il avait entendu. Mais de là à aller chercher le bidon d'essence dans le garage et... Dans quel pétrin il s'est fourré ! Greg plonge son visage dans son oreiller. Il ne se le pardonnera jamais ! Il doit se reprendre, il le sait. Une voix l'appelle, lointaine. Sa mère qui lui annonce qu'elle sort, qu'elle le laisse seul le temps d'aller à l'épicerie. Il l'entend à peine. Il a l'impression d'être si détaché du monde réel... Il ne voit que chagrin, cruauté, désespoir...

Ce n'était pas de la cruauté ! Ou peut-être que oui. Greg se balance à nouveau, tout le haut de son corps mû par un mouvement saccadé. En avant, en arrière. En avant, en arrière. Mais ce sentiment indescriptible de fierté et de rage, il ne pourra plus s'en passer. Il ferme les yeux et revit à fond les émotions qu'il a éprouvées. Il ne pourra plus rester assis dans les estrades à regarder sa vie se jouer sans y participer. Des frissons de plaisir lui parcourent le corps. Ce n'est pas seulement Justin qui a changé. Lui aussi. Il ouvre lentement les paupières, un sourire de satisfaction intense dessiné sur son visage...

Greg sait bien que les sorcières, il les a inventées. Il n'y a jamais eu de mauvais sort ni de nid. Il lui fallait une raison d'agir et il l'a trouvée. Mais comment a-t-il pu gober ces bêtises ? Il ne voulait pas affronter la réalité. La réalité, c'est qu'il est terrifié, il ne sait plus du tout ce qu'il doit croire. Il ne comprend pas ce Justin. Si elle l'avait voulu, la créature qui le possède aurait eu plein d'occasions de lui réduire le cerveau en bave gluante ou quelque chose du genre. Mais elle ne l'a pas fait. Greg est sûr que Justin, le nouveau comme l'ancien, est son ami. Et il a réduit en cendres le café préféré de sa copine...

Le jeune homme sursaute et pousse un cri. Les deux parties de lui forment maintenant un tout, entièrement tétanisé, les yeux ronds de frayeur. La porte de sa chambre s'est ouverte silencieusement et, devant lui, debout au milieu de la pièce, se dressent deux hommes. Un trapu au cou inexistant et un petit à l'air mauvais. Instinctivement, Gregory se recroqueville sur son lit en pressant ses mains sur ses oreilles. Son mouvement de balancier le reprend. En avant, en arrière. En avant, en arrière. *Toc, toc, toc.* Son dos frappe le mur.

– Ce n'est pas réel... Ce n'est pas réel ! répète Gregory.

– Ta mère est partie, marmonne un des hommes. Et toi, tu viens avec nous.

- 11 -
Attirances interdites

L'onde de choc bleue était d'une force inouïe. Le bref contact entre les deux parties de l'Erreur a secoué l'Exéité. La fibre même du monde a été ébranlée. Les Sykrans qui se trouvaient dans les environs ont été propulsés loin, très loin du lieu de l'incident. Ceux qui étaient trop près ont été pulvérisés.

Cette turbulence a agité longtemps le monde, a bousculé les Sykrans, les a emportés dans de violents courants. Ils ont été frappés par des éclairs bleus et orangés fulgurants, et un vacuum s'est créé au point central de l'explosion.

Les Sykrans n'ont jamais pu réintégrer ce lieu qui leur est désormais inaccessible. Une puissance orangée et visqueuse s'est approprié l'endroit. Elle a pollué la matière et l'a rendue invivable pour eux.

Cette force négative repousse les Sykrans, tout en attirant à elle les Chakrans, hypnotisés et protégés derrière cet immense dôme orangé. Ils s'en trouvent plus forts, plus dangereux, nourris d'une énergie vile et redoutable.

Thomas plisse les yeux. Il est penché, pratiquement couché sur les notes du professeur Adam, muni d'une loupe. Découragé, il laisse tomber l'instrument et regarde autour de lui. Le crépuscule allonge les ombres qui envahissent de plus en plus la pièce. La lumière ambiante n'est plus suffisante pour déchiffrer les pattes de mouche du professeur et l'ampoule du plafonnier de la cuisinette a rendu l'âme ce matin. Thomas n'a pas eu le temps d'en acheter une nouvelle.

Le jeune homme se lève et fouille un peu partout chez lui à la recherche d'une meilleure source d'éclairage. Il ouvre les boîtes qu'il n'a jamais déballées lorsqu'il a emménagé. Il déniche une vieille lampe de bureau et souffle dessus pour enlever la poussière accumulée. Il l'installe sur la table de la cuisine et l'allume. Le jeune homme glisse une page de notes sous le faisceau et reprend sa lecture, les sourcils froncés, la loupe à la main, complètement indifférent à l'obscurité totale qui règne dans le reste du logement maintenant que la nuit est tombée. Il n'y a de visible que ce cône de lumière jaune, et on dirait que Thomas est coincé dedans, attendant qu'on l'en libère. Il tourne la page. Aucun autre bruit, sauf le ronronnement du réfrigérateur et le tic tac de l'horloge au mur. À l'occasion, le craquement du plancher au-dessus de sa tête, alors que sa voisine se déplace chez elle.

Peu à peu, Thomas se replonge dans le monde du professeur. Il en apprend davantage sur ses fouilles. Jeffrey faisait partie des premiers scientifiques à pénétrer dans le tombeau du roi Ibbi-Sîn, avant que les artéfacts ne soient catalogués et déménagés, alors que personne n'y avait touché depuis trois mille ans... Thomas imagine l'émotion qu'a dû ressentir l'archéologue, ce sentiment unique et privilégié d'être le premier à découvrir, à respirer, à étudier des objets tellement pleins d'histoire... Un frisson lui parcourt l'échine. Il se surprend à aimer cette ambition qui animait le professeur. Il sourit et secoue la tête. Mais qu'est-ce qui lui arrive ? Le jeune homme retourne à sa lecture. En parcourant les notes, Thomas imagine Jeffrey lorsqu'il a mis la main sur la traduction des tablettes et qu'il a fait le lien avec le monde des morts. Il se sent si près de lui... Comme il a dû frétiller de plaisir !

Thomas se redresse, échappe un instant à la lumière et fixe les ténèbres devant lui, perdu dans ses pensées. Il bâille, s'étire, puis revient à l'Exéité et aux Mésopotamiens de l'époque. Son chat vient se glisser contre ses jambes en miaulant, l'horloge, inlassable, poursuit son tic tac monotone. Sans quitter les notes des yeux, Thomas caresse distraitement Faraday, qui finit par s'éloigner dans la pénombre d'un pas nonchalant. Il entend encore sa voisine marcher juste au-dessus de sa tête. *Crac. Crac.* Un bruit de froissement, un glissement traînant, tout près.

Le visage de Sofia apparaît, fantomatique, dans la lueur de la lampe. Thomas n'est pas surpris de la voir. Elle s'approche en silence, un sourire indéfinissable sur les lèvres. Elle tire une chaise et s'installe juste à côté de lui. Il ne dit rien, la regarde faire. Elle lance un regard rêveur en direction du cahier, puis pose ses yeux verts et brillants sur Thomas. Le jeune homme constate qu'ils ont quelque chose de différent. Il se rend compte, tout à coup, qu'il discerne le galbe du sein de Sofia par l'encolure entrouverte du chemisier qu'elle porte. Il contemple cette courbe douce, cette promesse, se surprend de l'émotion que ça génère en lui, de son cœur qui bat plus rapidement... Il sait que l'adolescente l'a vu regarder à l'intérieur de sa blouse, mais elle ne fait aucun geste pour la refermer. Elle pose délicatement sa main sur le bras de Thomas. Il sent la pression de sa jambe contre la sienne.

Il saisit la main de Sofia et la serre fortement, il veut lui faire mal, il veut qu'elle cesse son petit jeu. Sofia ne retire pas sa main. Elle reste silencieuse et fixe Thomas plus intensément encore. Les deux jeunes gens se dévisagent un moment sans bouger, leur poitrine se soulevant au rythme de leur respiration accélérée. Puis, Thomas relâche la pression sur les doigts de Sofia. Il n'arrive plus à résister.

Lentement, très lentement, il se penche vers la jeune fille qui lui offre sa bouche, humide et gonflée de désir. Thomas écrase ses lèvres contre celles de Sofia, tout en plaquant violemment son corps contre le sien.

Toc ! Toc ! Thomas sursaute. Sofia n'est plus là, il est seul dans la lumière aveuglante du matin. Il reprend ses esprits. Un rêve, ce n'était qu'un rêve, mais ça semblait si réel... Où est-il ? Encore assis à la table de la cuisine. Il a dû s'endormir. Impossible de s'en souvenir. Il lisait et puis, plus rien.

Toc ! Toc ! Quoi ? Quelqu'un à la porte. Le jeune homme se lève et se dirige d'un pas saccadé vers l'entrée, le sang lui martelant la tête. La lumière vive du matin l'éblouit. Il se frotte les yeux, passe sa main dans ses cheveux en bataille. Sa barbe est longue. Il ouvre la porte. Sofia sourit, puis semble s'inquiéter.

– Je pensais que tu avais oublié notre rendez-vous ! Dis donc, ça va ? Tu as une tête terrible...

Thomas ne dit rien, mais recule pour laisser entrer la jeune fille. Des flashs de son rêve lui reviennent en mémoire. Alors qu'elle enlève son manteau, Thomas ne peut s'empêcher de remarquer que la blouse que porte Sofia est entrouverte et qu'il discerne la courbe naissante de ses seins...

✧ ✧
✧

C'est la première fois que Gale a droit à une audience privée. C'est la première fois qu'il entre dans le bureau du boss. Ce n'est pas un palace, mais, au moins, ici, il n'y a pas de sales bestioles qui grouillent partout. Il flotte dans l'entrée une odeur que Gale n'arrive pas à identifier, un relent désagréable. Saleté, cigarette, alcool... Sans doute un peu de tout ça. Mais il s'en fout. Il va rencontrer le boss ! Jack, un des gars les plus importants du groupe, apparaît devant lui.

– Entre.

Il lui fait un signe de la tête. Gale pénètre dans la pièce. Un bureau massif en bois naturel. Et le patron, assis sur une chaise si grosse qu'elle ressemble à un trône, faite sur mesure pour accommoder sa corpulence extrême. Maintenant qu'il se trouve seul devant lui, Gale ne peut s'empêcher de trouver que son patron ressemble à un énorme crapaud plein de plis et de graisse. Pas un cheveu sur le crâne, le visage luisant, il suinte la sueur et le parfum. Le jeune homme frissonne, mal à l'aise. Peu importe les images qui lui viennent en tête, c'est quand même son chef et celui-ci dégage une puissance qui ne laisse personne indifférent. Campé derrière son bureau, le boss ne lève pas les yeux. Gale reste devant lui, immobile, tout en lançant des regards furtifs vers les murs. Ils sont couverts de photos de gens suivis et espionnés au fil des ans.

Le papier trouvé chez le professeur est placé, devant le gros homme, sur la table. Gale gigote. Ça fait cinq ans qu'il a joint l'équipe, cinq ans qu'il participe aux recherches et que rien n'aboutit. Et d'autres sont là depuis bien plus longtemps encore... À quoi servent tous ces efforts ? Que cherche-t-on vraiment ? Seule l'énorme masse derrière le bureau peut l'expliquer. Les autres se contentent de suivre et d'exécuter les ordres. Mais ils ne peuvent s'empêcher de murmurer, de laisser à l'occasion paraître leur mécontentement. Gale sait ce qui arrive à ceux qui manquent de discrétion, à ceux qui s'opposent au boss. On ne les revoit plus. Il n'a aucune idée d'où ils vont, on ne l'a pas mis dans le secret. Jack et Alfred, les deux hommes de confiance du boss, s'en chargent. Les autres ignorent tout. Jack et Alfred avertissent aussi les plus jeunes qui veulent des réponses. « Si tu continues à poser des questions, tu ne feras pas long feu. » Alors, ils se taisent tous. Au moins, ils sont en groupe, ils se tiennent, ils se protègent, ils ont une famille. Ils ne sont plus isolés dans leur misère. Ils ont un but, même si Gale ne saisit pas de quoi il s'agit.

Le patron tourne et retourne le papier entre ses mains grasses.

– C'est tout ? Rien d'autre ?

Gale est déçu. Il espérait plus d'enthousiasme. Il a même rêvé que le boss lui donnait une tape de satisfaction sur l'épaule avec son énorme paluche. Il s'est vu promu dans la garde rapprochée, il s'est imaginé recevant ses ordres directement du chef. Fini les heures passées à attendre, à observer tout seul dans le froid. C'est lui qui donnerait les ordres, il deviendrait important. Bref, il ne s'attendait pas à « Rien d'autre ? » Il baisse la tête.

– Non, rien.

Sa voix est un murmure. Il l'aurait voulue plus ferme.

– Bon. Trouve c'est qui et suis-le. Prends Bob avec toi.

Gale voudrait demander au boss ce qu'il espère trouver. Ça l'aiderait dans ses recherches ! Mais les mots restent pris dans sa gorge, tandis qu'il est partagé entre la curiosité qui se fait de plus en plus insistante et l'instinct de conservation qui lui crie de se la fermer. Il fait un bref salut de la tête.

– OK, boss.

✧ ✧
✧

Sofia est inconfortable. Thomas ne cesse de lui poser des questions sur son état physique lorsqu'elle se trouve dans l'Exéité. Mais elle ne sait pas quoi lui dire... En vérité, elle n'a aucune idée de ses réactions quand elle entre en transe. Tout ce qu'elle sait, c'est qu'elle est terriblement détendue. Et qu'elle arrive à atteindre cet état de calme dans à peu près n'importe quelle situation. Au départ, elle ferme les yeux, pleinement consciente de son environnement et de son corps. Elle détecte d'abord une lueur derrière ses paupières, comme elle a pu l'expérimenter à la clinique du sommeil. Mais elle ne voit rapidement plus que du noir. En l'espace de quelques secondes, elle perd l'usage de ses sens. Ses membres s'engourdissent et elle ne perçoit plus le poids du drap sur son corps, ni même le lit sur lequel elle est allongée. Les sons se font de plus en plus distants, ou plutôt de plus en plus près, comme s'ils provenaient de l'intérieur d'elle. Les battements de son cœur ralentissent. La notion physique même s'estompe de son esprit... Le calme parfait... Sofia ignore ce qui arrive par la suite. Et elle se sent gênée de penser que Thomas en connaît plus sur ses réactions qu'elle-même.

– Tu dis que je devrais être morte ? articule-t-elle, hésitante.

– J'ai fait des recherches après ce qui est arrivé. Il y a des cas où on a retrouvé des noyés dont le cœur s'était arrêté depuis plus d'une heure et qui ont été réanimés sans séquelles. Il y a certains cas recensés de gens qui sont pratiquement capables d'arrêter les battements de leur cœur tant ceux-ci deviennent lents. Mais tu es tombée par toi-même dans une transe hypothermique, et ce, même si la température du local où tu te trouvais demeurait stable à 19, 5° C. Ton cœur aurait dû cesser de battre. Tu ne respirais plus. Et pourtant, je n'ai jamais vu un électroencéphalogramme plus étrange que le tien. On t'aurait crue en plein éveil ! C'est physiquement impossible. Les neurones ne peuvent pas fonctionner à cette température. Tu comprends à quel point tout ça n'a pas de sens ?

– Oui, je crois. Mais je ne peux pas t'aider, je ne sais pas ce qui se passe...

Sofia soupire. Elle veut en finir avec cet interrogatoire qui la rend si mal à l'aise.

– Tu as trouvé quelque chose dans le cartable du professeur ? demande-t-elle pour changer de sujet.

– Hmmm..., marmonne Thomas, toujours perdu dans ses pensées.

Il est assis à la table de cuisine où il a visiblement passé la nuit, entouré des notes de Jeffrey. Un verre d'eau presque vide, une assiette où traînent les restes d'un sandwich grillé au fromage, une autre souillée de sauce. L'apparence même de Thomas inquiète Sofia. Il paraît énergique et optimiste, mais des cernes noirs sont maintenant visibles sous ses yeux et il a vraiment l'air... sale. Quand Sofia était chez lui, quelques jours plus tôt, il portait les mêmes vêtements. Étrangement, bien que ça lui donne un look très différent de la première fois qu'elle l'a rencontré, il n'en est pas moins attrayant. En fait, si le Thomas d'avant semblait très bon garçon, celui des derniers jours dégage une énergie bestiale et rebelle qui n'est pas dépourvue de charme.

– Jeffrey a fait référence à une amulette dans sa conférence. Tu penses que c'est ça, la clé ? lance-t-elle en reprenant ses esprits.

Sofia tire une chaise et s'assoit près de Thomas. Il sursaute, surpris, puis secoue rapidement la tête et se concentre sur la conversation.

– C'est possible, mais je ne sais pas encore. J'ai l'impression que quelque chose m'échappe. Il y a tellement de facteurs à considérer... La position du corps dans la tombe est-elle toujours la même ? Son alignement fait-il référence à la position des planètes, du soleil ? Et puis, il y a la pièce de métal sur le front. Toujours le même poids. Curieux, non ?

– Il n'indique rien de plus que ce qui a été dit à la conférence, alors..., insiste Sofia, déçue.

– Je suis rendu à déchiffrer ses impressions sur la disposition des objets trouvés dans la tombe. C'est intéressant.

– Thomas... je sais que tu veux tenter de tout comprendre, mais on doit d'abord trouver le moyen qui va me permettre de communiquer avec les autres Sykrans.

Sofia appuie légèrement son épaule sur celle de Thomas. Il se raidit au contact, se lève et se met à marcher vivement de long en large dans la cuisine.

– Qu'est-ce que tu crois que je fais ici ? Que je me tourne les pouces ? répond-il un peu trop brusquement.

– Ce n'est pas ce que je veux dire ! Bien sûr que non, proteste Sofia.

Le malaise de la jeune fille grandit. Elle sait qu'il met toute son énergie à tenter de résoudre le mystère et elle lui en est très reconnaissante. Mais comment lui expliquer que le temps presse, alors qu'elle n'a aucune preuve, aucun indice qui lui permette de justifier la certitude de cette urgence ? Sofia la sent dans ses tripes.

– Il va falloir qu'on fasse des tests. C'est la seule façon de savoir ce qui fonctionne, dit Thomas sans s'arrêter de marcher.

La jeune fille repense à la lumière et au bruit des néons, à cette odeur de désinfectant... Et au flash aveuglant qui a annihilé le Sykran du professeur. Elle se lève à son tour et ses yeux se remplissent d'eau. Elle fixe Thomas, tandis que ses souvenirs remontent à la surface. Elle se rend au salon et s'assoit en boule sur le sofa. Thomas la suit.

– Je suis tellement fatiguée de tout ça, confie-t-elle au jeune homme. Je voudrais arrêter ces images qui apparaissent sans cesse dans ma tête. Je crois que je m'en suis remise, que je vais pouvoir passer une nuit tranquille. Puis, tout à coup, je vois l'éclair, je revis le moment, je le vois mourir à mes côtés...

Sofia sanglote, fragile. Si elle a toujours paru plus âgée, elle fait maintenant ses seize ans. Thomas la regarde, saisi d'une violente tendresse pour cette adolescente, un frisson fort qui lui parcourt la colonne vertébrale. Il s'assoit près d'elle et la prend dans ses bras.

– Ne t'en fais pas. Nous découvrirons ce qu'il cherchait. Pour toi... et pour lui.

Sofia pose sa tête sur la poitrine de Thomas. Elle est subjuguée par les émotions. Le pire moment de sa vie, juxtaposé au plus extraordinaire. Se trouver ainsi dans les bras du jeune homme... Sofia est prise dans un tourbillon de sentiments qui lui fait un instant oublier tout le reste.

Thomas est subitement emporté par l'odeur légèrement parfumée du shampoing de Sofia, par la chaleur et la fermeté de son corps contre le sien... Il l'enlace et la serre contre lui, les yeux fermés. Ils se savourent l'un l'autre. Puis, la clé tourne et la porte d'entrée s'ouvre sur Marie, la femme de l'université, l'ex-copine de Thomas.

– Merde ! Qu'est-ce que tu fais avec elle ? s'exclame-t-elle, les yeux ronds.

✧ ✧

✧

« 1. Position the new drill press table on existing metal table, centered side-to-side and 1/2" from the drill press column.

« 1. Placez la nouvelle table pour perceuse à colonne sur la table de métal existante, de façon à ce qu'elle soit centrée de gauche à droite et située à ½ pouce de la colonne de la perceuse.

« 2. Find the position of the screw-in inserts under the table, and drill two 1/2" and two 5/8" deep holes to install the four screw-in inserts provided.

« 2. Localisez la position des... »

Dring ! Le téléphone. Jo abandonne un instant son ordinateur pour aller répondre. Elle apprécie cette pause inattendue. Son travail, aujourd'hui, est d'un ennui mortel. Mais c'est ça, être traductrice. Elle ne choisit pas les textes que ses clients lui envoient. Parfois, ils sont fascinants, d'autres fois, beaucoup moins. Elle ne sait même pas ce qu'est une perceuse à colonne !

– Allo ?

– Madame Robert ? C'est Suzanna, la secrétaire de l'école...

– Bonjour, Suzanna, tout va bien ? s'inquiète Jo.

– J'allais vous le demander. C'est que Sofia n'est pas venue en cours ce matin.

Une main glacée enserre le cœur de Jo.

– Comment ça ? Elle ne s'est pas rendue à l'école ? demande-t-elle, la voix tendue.

– Non. Mais je me suis dit qu'après ce qui s'était passé, elle avait peut-être choisi de rester à la maison plus longtemps...

Il est forcément arrivé quelque chose à Sofia. Jamais elle n'a manqué les cours. Et elle est partie ce matin avec son sac à dos. À moins que... Jo trouve que sa fille est différente, ces derniers temps. Plus anxieuse, comme si elle avait l'impression d'être traquée. Elle a pris difficilement la mort du professeur, dont elle se sent responsable. Elle a failli mourir. Et elle a appris l'existence d'un frère avec qui elle a partagé l'utérus de sa mère... Plus d'une adolescente aurait des problèmes à gérer autant d'événements, mais... Sofia ?

– Je vous remercie de m'avoir avisée, Suzanna. Je ne m'attends pas à ce qu'elle aille à l'école aujourd'hui, mais si c'était le cas, vous voudriez bien m'avertir ?

La ligne reste un moment silencieuse.

– Vous ignorez où elle se trouve, n'est-ce pas ? dit doucement la secrétaire.

– Je vous remercie encore et bonne journée ! lance Jo en raccrochant le combiné.

Elle réfléchit. Où Sofia a-t-elle bien pu aller? Jo va chercher son téléphone dans son sac à main et signale le numéro de sa fille. Pas de réponse. Elle lui envoie un texto : « L'école a appelé. Où es-tu ? Dis-moi que tu es OK. » Elle dépose l'appareil sur la table, retourne s'asseoir à son ordinateur.

« 2. Localisez la position des... »

Elle se relève, incapable de se concentrer. Elle envoie un second message: «Appelle-moi, je suis inquiète.» Puis, n'y tenant plus, Jo ramasse son manteau, enfile ses bottes, sort de l'appartement et s'engouffre dans l'ascenseur.

Le soleil réchauffe la neige qui luit sur les terrains. Jo ne sait pas où elle va, mais elle doit avoir l'impression de faire quelque chose pour retrouver sa fille.

✧ ✧
✧

Enfin ! Gale et Bob attendent ce moment depuis presque deux heures, coincés dans l'escalier de l'immeuble, le nez à la porte. Gale est sûr qu'ils auraient pu trouver une planque plus confortable. En plus, deux heures avec Bob, c'est long. Pas qu'il ne soit pas gentil, mais il n'est pas vite ni très jasant. Il se contente de pousser des soupirs et de se gratter la tête. Gale est dégoûté par les pellicules qui tombent en cascade sur les épaules de son partenaire et qui se fraient à l'occasion un chemin jusque sur son propre chandail. Ouache ! D'où son impatience de voir l'appartement se vider de ses occupants. Ça n'a pas été difficile de trouver l'adresse, considérant que la fille avait été assez imprudente pour mettre son nom de famille dans son identifiant courriel. Il imaginait que la mère quitterait le logement ce matin. Mais il s'était vite rendu compte qu'elle ne partait pas pour le travail comme tout le monde. Il désespérait de trouver un moment propice pour entrer. Enfin, l'occasion se présente ! Alors que la femme passe devant leur nez et s'engouffre dans l'ascenseur, Gale regarde Bob d'un air entendu.

– J'y vais. Appelle s'il y a quelque chose.

– Ouais.

Gale se glisse hors de la cage d'escalier comme un félin.

✧ ✧
✧

– Tu es un salaud et tu me dégoûtes !

Sofia voudrait être n'importe où sauf ici. Elle se tient légèrement en retrait, visiblement de trop dans cette scène de ménage-qui-n'en-est-plus-un. Marie est hystérique et elle-même ne peut pas s'empêcher de se sentir coupable d'avoir été prise en défaut. Comment pouvait-elle anticiper que la jeune femme avait encore une clé du logement de Thomas et qu'elle s'en servirait sans s'annoncer? Sofia sait qu'elle n'a rien à se reprocher. Et, en plus, Marie lui avait clairement appris à l'université que Thomas et elle ne sortaient plus ensemble... Sofia frissonne en imaginant quelle aurait été sa réaction dans le cas contraire. Mais, de toute façon, qu'est-ce que Marie a surpris de si terrible? Ils étaient assis sur le sofa, dans les bras l'un de l'autre, Sofia s'était sentie si bien, tellement à l'abri de tous les événements des dernières semaines... Elle ne ressentait plus la peur, le chagrin, la honte. Oui, elle était tout simplement heureuse dans les bras de cet homme... Et maintenant, toute la tension était revenue d'un coup et la tétanisait sur place en témoin involontaire.

– Calme-toi..., tente Thomas.

– Je vous ai vus! Vous vous êtes embrassés! crie Marie.

– Ce n'est pas vrai! proteste Sofia. J'étais triste et...

– Toi, l'ado, ferme-la! la coupe Marie. Elle a quel âge, cette fille, d'abord? Tu ne trouves pas que tu as assez de problèmes comme ça? Attends qu'ils l'apprennent à l'université...

– Tu ne leur diras rien.

– Je vais me gêner !

Marie marche de long en large d'un pas furieux. Thomas est resté assis sur le sofa et ne semble pas bouleversé outre mesure par la situation. Mais Sofia, pour sa part, doit sortir de là à tout prix. Trouver une raison, n'importe laquelle, pour fuir. Elle fouille nerveusement dans son sac à dos. L'Exéité. Le professeur à ses côtés. L'ambulance. Elle ne sait plus ce qu'elle cherche dans son sac, elle étouffe. Ses doigts se referment sur son téléphone, elle le prend machinalement. Elle a l'impression que les murs se referment sur elle, qu'elle va manquer d'air. Elle glisse par terre, le dos appuyé contre le mur de l'entrée, tenant son sac d'une main, son cellulaire de l'autre. Elle ferme les yeux un instant, haletante. Le téléphone vibre. Elle baisse les yeux et lit le texto de sa mère : « Où es-tu ??????? Ça fait trois fois que je t'appelle. Réponds !!!!! » Elle qui pensait que ça ne pouvait pas aller plus mal. Elle se relève d'un coup, chancelante.

– Je dois partir.

Thomas rejoint Sofia.

– Est-ce que tu te sens bien ?

– Non. C'est ma mère... Il faut que je m'en aille !

La jeune fille met ses bottes fébrilement, maladroite dans sa hâte.

– Tu m’as laissée pour *elle* ? poursuit Marie, méprisante.

Sofia ramasse son manteau et sort.

Thomas et Marie se dévisagent un instant en silence, tandis que la porte se referme en claquant. Puis, le jeune homme s’approche de son ex-copine et la serre dans ses bras. Marie reste interdite et le regarde avec étonnement. Il l’embrasse violemment. Elle se dégage.

– Quoi ?..., lui dit-il avec un sourire. Tu ne penses quand même pas que je vais tripoter cette fille-là quand je t’ai, toi ?

Thomas entraîne Marie vers le sofa sur lequel il la fait basculer et se laisse choir par-dessus elle en l’embrassant de nouveau.

– Qu’est-ce qui t’arrive ? lance la jeune femme d’une voix beaucoup moins autoritaire, presque rêveuse. Tu es si... différent.

Cette fois, elle lui rend son baiser. Il lui mord la lèvre inférieure.

– Tu ne m’as jamais embrassée comme ça avant..., poursuit-elle, pensive.

– Je te présente le nouveau moi.

Et il l'enlace dans une étreinte fougueuse.

✧ ✧
✧

Cette fille est trop bizarre... Gale brasse un peu les papiers sur le bureau de Sofia. L'archéologie. Indiana Jones était cool, mais pour le reste... Gale ne comprend pas que l'adolescente puisse s'intéresser à des choses mortes depuis si longtemps. Surtout à son âge ! La vie, c'est ici et maintenant. Ça ne se passe pas en Égypte, il y a deux mille ans. Il ne sait pas exactement ce qu'il cherche, mais il trouve le billet pour la conférence du professeur Adam. C'est donc là qu'elle l'a rencontré. Gale n'a pas compris tout ce qu'il a lu dans les notes qu'ils ont volées à son bureau, sauf que les recherches de l'archéologue portaient sur le monde des morts. Se pourrait-il que la fille ?... Un bruit distinctif interrompt ses réflexions. Une clé dans une serrure. La porte d'entrée, quelqu'un arrive ! Surpris, Gale scanne la pièce des yeux, évalue ses options. Il choisit de se glisser dans la garde-robe et referme la porte au moment même où Sofia pénètre dans sa chambre.

La jeune fille se laisse choir sur son lit. Elle n'en peut plus. Trop de tout. Elle ne se sent pas prête à affronter sa mère qui doit revenir d'un moment à l'autre. Elle voudrait seulement dormir d'un sommeil sans rêve, sans revivre encore une fois son dernier voyage dans l'Exéité... Soudain, elle sent comme un inconfort, un grain de sable agaçant qui taraude son esprit. L'impression d'être observée. Elle se redresse sur son lit, aux aguets.

Entouré de vêtements qui dégagent une odeur de lilas, le visage épais de Gale est illuminé par l'écran de son cellulaire. En déplaçant ses doigts très lentement, il texte sur son téléphone : « Besoin d'une distraction. »

Sofia se lève et fait lentement le tour de la pièce. Quelque chose ne tourne pas rond. Elle regarde les papiers sur son bureau, sa pile de livres, son paravent, son ordinateur. Tout est là et pourtant... La sonnette de la porte d'entrée retentit et interrompt l'observation de l'adolescente. Elle va ouvrir, presque heureuse maintenant de voir quelqu'un. Elle sentait une telle oppression, seule dans sa chambre. Mais il n'y a personne, le corridor est vide. Son anxiété grandit. Ce n'est pas normal. Elle referme brusquement la porte, la gorge serrée.

Gale s'est déplacé dans la cuisine, tandis que Sofia claquait la porte d'entrée.

Un bruit qui vient de la cuisine. Sofia est tendue comme un arc. Elle ramasse un parapluie accroché à la patère et avance lentement, très lentement, vers la source du son. Mais elle n'entend plus maintenant que les battements de son cœur dans sa poitrine. Arrivée à proximité de la cuisine, elle s'arrête. Elle lance un regard furtif à l'intérieur de la pièce. Rien. Soulagement, suivi d'une nouvelle inquiétude. Quelqu'un rôde peut-être ailleurs dans le logement ! Un grincement venant du hall.

De justesse, Gale s'est glissé hors de l'appartement. Il va rejoindre Bob dans la cage de l'escalier, furieux que son partenaire ne l'ait pas averti de l'arrivée de la jeune fille.

Alors qu'elle s'apprête à se diriger vers l'entrée, le lave-vaisselle qui vient de compléter son cycle se met à biper juste à côté de Sofia. Elle sursaute, avant de se trouver idiote. Il n'y a personne. C'est sûrement son imagination et le stress qui lui jouent des tours. Un bruit de grattement. Non, quelqu'un essaie *vraiment* d'entrer ! Les doigts crispés sur le parapluie, Sofia s'approche de la porte, tremblante. Elle pointe l'objet en l'air, prête à l'enfoncer comme une lance dans le cœur du voleur. La porte s'ouvre. C'est Jo.

- 12 -
L'enlèvement

Effrayé, désorienté, aveuglé par le faisceau braqué sur lui, Gregory lève la main pour se protéger les yeux. On vient de lui délier les bras.

– Je suis où ? demande-t-il, hésitant.

Il commence à distinguer des silhouettes derrière la lumière, une large pièce dénudée. Des rires discrets, moqueurs. Il sent le contact froid d'une vieille table de métal égratignée, alors qu'il dépose ses mains dessus. Les hommes qui sont entrés chez lui l'ont amené dans une voiture où les attendait un troisième complice. Ils l'ont couché sur la banquette arrière, un sac de jute sur la tête. Il a l'impression de toujours déceler cette odeur de foin, de toujours sentir le tissu piquant sur ses joues et la terrible envie de se gratter qu'il n'a pas pu assouvir, puisque ses mains étaient ligotées dans son dos. La panique, l'incompréhension. C'est forcément une erreur. Personne ne sait pour l'incendie. Personne ne l'a vu. Enfin, il en est presque sûr... Un homme s'assoit devant lui, tout en s'assurant de garder la lampe bien fixée sur le garçon. Greg essaie de distinguer les traits de son vis-à-vis, mais il n'y arrive pas. Lorsqu'il lève les yeux, il ne voit que la lumière.

– Le jeune, si tu réponds à nos questions, tu vas avoir bien moins de problèmes.

– Qui êtes-vous ? articule Greg difficilement, la gorge serrée.

– Vide tes poches.

Pourquoi quelqu'un voudrait-il s'en prendre à lui ? Il a tout d'un garçon ordinaire, effacé et sans histoire. Un *geek* que personne ne remarque. Il n'a jamais récolté ne serait-ce qu'une retenue à l'école. Ses parents ne sont pas riches. Non, c'est une erreur. Ou bien le feu... Mais où l'ont-ils donc emmené ?

– Tu as compris ce que j'ai dit ?

Greg revient à la réalité. Il s'exécute. L'homme regarde les objets éparpillés sur la table. Un porte-clés, un paquet de gomme, un dépliant pour la foire des sciences et un porte-monnaie avec les pièces d'identité du garçon. L'attention du chef se reporte sur celui-ci.

– On sait que tu as mis le feu au café. On veut savoir pourquoi.

– Ce n'est pas vrai ! Quel café ? lance-t-il d'une voix aiguë qui provoque d'autres ricanements de l'assistance.

Les épaules de Greg s'affaissent. Quelqu'un a dû le voir... Ce n'est pas tellement surprenant. Après tout, il n'a pas vraiment réfléchi. Pire, il a accompli son geste sur un coup de tête, en plein délire. Comment pouvait-il être sûr qu'il n'y avait pas de témoins ? Il n'aurait jamais dû faire cela. Il le savait, il avait pourtant essayé de s'en convaincre... Le poing de l'homme s'abat sur la table avec un bruit retentissant qui fait sursauter l'adolescent.

– Je n'ai pas de temps à perdre !

– Vous... vous êtes de la police ?

– Mieux que ça, lui répond son interlocuteur.

Greg ne voit pas son visage, mais il entend le sarcasme dans sa voix.

– Une brigade spéciale, alors ? s'enquiert-il.

Du mouvement dans la pièce, des chuchotements.

– C'est ça. Une brigade spéciale.

L'homme tourne la tête vers ses acolytes et ceux-ci redeviennent silencieux.

– Je répète la question. Pourquoi as-tu mis le feu au café ?

– Je n'ai aucune idée de quoi vous parlez, bredouille Greg en se repliant légèrement sur lui-même, comme s'il s'attendait à être frappé.

– Hier soir, tu es allé là-bas avec un bidon d'essence. Tu portais une veste grise avec un capuchon pour qu'on ne puisse pas voir ton visage. Tu es passé par la ruelle et tu as répandu l'essence à l'arrière du café. Puis, tu es reparti en courant. On est au courant, on t'a suivi.

Tous les détails sont exacts. Donc, quelqu'un l'a vraiment vu sur place. Il se met à tapoter la table de ses doigts et à se balancer d'avant en arrière sur sa chaise qui grince légèrement. Oui ! Il a mis le feu au café et il a eu raison de le faire. Pourquoi ne pas tout dire ? L'homme va comprendre pourquoi il a agi.

– C'était à cause des sorcières ! lance-t-il.

– Les sorcières ?

– Oui, j'ai détruit un nid de sorcières. J'ai rendu service à l'humanité.

Greg sait que ses divagations ne sont que le fruit de son imagination. Il est conscient qu'il n'y a pas de sorcières... Mais il se dit qu'il a une mince chance de s'en tirer avec quelques séances de psychothérapie si on croit qu'il est cinglé. Alors, il laisse le délire prendre le dessus.

– Explique-moi ça du début, lui demande l'homme qui l'interroge, avec un soupir.

– Une sorcière a pris le contrôle de mon ami. En détruisant le nid, je l'ai sauvé. Si vous étiez là en surveillance, c'est sûrement parce que vous aviez localisé le nid ? Vous étiez au courant ? C'est sur elles que vous enquêtiez ?

– Si tu me disais à quoi elle ressemble, ta sorcière ?

– À peu près dix-huit ans, les cheveux roux en broussaille.

Du mouvement à l'arrière. Greg ne voit toujours rien, sinon des ombres, mais il entend le bruissement des vêtements, un léger murmure.

– On la connaît. Et ton ami ?

– Mon ami est guéri, grâce à moi !

– Ce n'est pas ce que je t'ai demandé. Ton ami a l'air de quoi ? Ton âge, assez grand, les cheveux noirs ?

Greg est surpris. Il ne voulait pas identifier Just, mais l'autre s'en est chargé pour lui. Comment se fait-il qu'ils le connaissent ? Évidemment... Ils l'ont vu au café avec Kat !

– C'est ce que je pensais, ajoute l'homme, satisfait. Pourquoi tu dis que la sorcière le contrôle ?

– Non, c'est fini tout ça. Mon ami est correct et il n'a rien à voir là-dedans !

Les lourds poings s'abattent de nouveau sur la table.

– Réponds !

Greg se recroqueville sur sa chaise. Toute la scène lui semble tellement irréelle. La chaleur émanant de la lampe commence à devenir insupportable. Ébloui, il ne voit que de grandes taches noires quand il regarde le sol. Il essuie son front couvert de perles de sueur. Mieux vaut tout leur dire, il n'a pas le choix. Sinon, que vont-ils lui faire ? Greg frotte nerveusement ses cheveux de ses doigts. Une silhouette s'approche de lui. Il lève un instant les yeux, le temps de recevoir une claque retentissante en plein visage. Le jeune homme s'écroule sur le sol. Sa joue vient d'exploser. Ses narines, si près du plancher, s'emplissent d'une forte odeur d'essence. Instinctivement, il porte la main à son visage en gémissant. On le replace sur sa chaise durement. Il émet une nouvelle plainte.

– Peut-être que tu vas être plus jasant, maintenant, dit l'homme assis devant lui, sarcastique.

Greg éclate en sanglots. Mais où est-il ? Qu'est-ce qui lui arrive ? Est-il en train de rêver ? La douleur sourde de sa joue lui dit que ça lui arrive pour vrai, mais il ne comprend pas ce que ces brutes lui veulent. Désemparé, il se balance d'avant en arrière, tout en pleurant abondamment. Un mouvement, une ombre. Instinctivement, l'adolescent se met en boule sur la chaise, se protégeant le visage. Aucun coup. Il se détend un peu et constate que l'homme qui lui fait face lui tend une boîte de mouchoirs.

– On ne te veut aucun mal. Au contraire, tout ce que tu dis peut nous être utile pour... pour arrêter la sorcière.

Greg se mouche bruyamment et essuie les larmes qui coulent sur son visage. Il est secoué de spasmes. Il tente de se calmer.

– Qu'est-ce... que vous voulez savoir ? marmonne Greg en se tenant la joue qui enfle progressivement.

– Ton ami et la sorcière..., commence l'homme.

– Oui, la sorcière. Elle a fait venir un démon des enfers ou de je ne sais où et c'est lui qui a pris le contrôle de Justin. Il était différent depuis quelque temps, je le savais qu'il y avait quelque chose qui ne tournait pas rond, mais comme il restait gentil, je ne me suis pas trop méfié. Puis, je les ai entendus parler hier soir. Justin lui expliquait comment il était capable de changer de corps comme il le voulait. C'est pour ça que j'ai mis le feu au café. Pour libérer Just !

– Donc, il s'appelle Justin...

Greg se remet à sangloter. La douleur n'est plus aussi vive, mais il a un goût âcre dans la bouche et il sent la chaleur de l'enflure sur sa joue. Il n'aurait pas dû mentionner le nom de Just. Mais il ne pourrait pas supporter une autre gifle comme celle-là, il dira n'importe quoi pour l'éviter. L'homme lui glisse une carte de la ville sous les yeux.

– Montre-nous sa maison.

– Je ne sais pas où elle habite, je ne l'ai vue qu'au café.

– Pas la fille ! lance l'homme, impatient. Je parle de ton ami.

– Quoi ? Comment ça ? Qu'est-ce que vous lui voulez ? demande Greg.

– On veut seulement qu'il nous en apprenne plus sur la sorcière.

– Vous ne lui ferez pas de mal ? s'inquiète le garçon.

Quelques ricanements s'élèvent du fond de la pièce. L'homme lève la main et tout redevient silencieux.

– Non. On va lui demander de nous dire ce qu'il sait.

Greg voudrait tellement le croire. Il voudrait être tombé sur une brigade spéciale de la police, mais il n'arrive pas à s'en convaincre... Pourtant, il n'a pas le choix. Il n'ose pas imaginer ce qui lui arrivera s'il refuse d'obéir. Une simple baffe et il est prêt à tout avouer. L'adolescent s'en veut d'être aussi faible. Mais il a si peur, si mal... Lui qui, quelques heures plus tôt, se voyait en héros invincible ! Quelle blague... Des larmes lui montent à nouveau aux yeux.

– OK, dit-il simplement.

Le garçon se penche légèrement en avant pour observer la carte. Il sent l'intensité de la lampe qui lui brûle le front.

– Vous pouvez tasser ça ? Je ne vois rien.

Quelqu'un déplace la lampe. Il étudie la carte, constate qu'il y a un X rouge à l'endroit où se trouvait le café. Il suit des yeux le trajet qu'il ferait pour se rendre chez Justin à partir de là, mais... tout à coup, il ne sait plus ! Comment ça ? Il connaît parfaitement bien l'emplacement de sa maison. Il habite dans le même quartier... Quel quartier ? C'est comme si, dans sa tête, ses souvenirs de la maison de son ami étaient verrouillés à double tour dans une boîte de plomb hermétique. Il voit parfaitement bien la boîte, mais il lui est impossible de l'ouvrir. D'abord incrédule, Greg se demande s'il n'y a pas du Justin dans cette magie... Puis, il se met à paniquer. Les hommes ne le croiront jamais ! Ils vont le battre pour qu'il leur indique l'endroit, et ils ne s'arrêteront pas ! L'adolescent se remet à se balancer sur sa chaise d'avant en arrière, rapidement, la respiration saccadée. Le meuble grince sous son poids. Il continue à fixer la carte, essaie de forcer son esprit à lui obéir. Sans succès.

– Un problème ?

– Je... Je n'arrive pas à me souvenir de son adresse ! Ne me battez pas ! les supplie Greg, les larmes aux yeux. J'y suis allé plus de mille fois dans ma vie, mais j'ai oublié où c'est. Je ne sais même plus où j'habite. Qu'est-ce qui m'arrive ? S'il vous plaît, je vous jure que c'est la vérité !

– Emmenez-le.

– Non ! hurle Greg.

– Calme-toi, le jeune, fait son interlocuteur. On va t'emmener devant le café. Tu vas nous montrer à partir de là. Et si ça ne marche pas... Là, tu pourras stresser.

Greg est soulevé de sa chaise et presque transporté alors que seulement le bout de ses souliers touche le sol. Il doit faire un effort pour ne pas perdre l'équilibre. Il suit tant bien que mal ses kidnappeurs le long d'un corridor mal éclairé, jusqu'à un vaste garage commercial. Ce sont les mêmes individus qui l'ont enlevé chez lui plus tôt. Il reconnaît la voiture qui l'a amené ici. Il est poussé à l'intérieur et un des hommes s'assoit à ses côtés, un rictus méprisant sur les lèvres. Les deux autres s'installent à l'avant et l'auto démarre. Greg observe à la dérobée ses trois kidnappeurs. Le conducteur et celui qui se trouve près de lui sur la banquette arrière sont des géants avec des bras énormes. Le troisième contraste par sa maigreur et sa petite taille. Mais c'est lui qui a l'air le plus méchant, celui qui fait le plus peur à Greg. On lui remet le sac de jute sur la tête.

– Ne t'avise pas de l'enlever, le menace la voix à sa gauche.

Comment Greg a-t-il pu penser un seul instant qu'ils faisaient partie d'une brigade spéciale ? Non, ces gars-là sont des malfaiteurs, c'est évident. Mais que veulent-ils à Justin ? Peu importe qui est son ami maintenant, son vieil ami Justin ou le nouveau qui a pris sa place. Il ne peut pas mener ces hommes jusqu'à lui. Mais a-t-il le choix ? Après ce qui lui semble une éternité, la voiture s'immobilise. La tête de Greg est libérée du sac. Ils sont à un coin de rue du café. Le passager assis à l'avant se retourne. Une cicatrice lui descend le long du visage et déforme son expression en une grimace permanente.

– Ne t'avise pas de faire le malin.

Sur place, la boîte renfermant ses souvenirs se fait moins opaque. Le plomb s'est transformé en brume.

– Continuez tout droit jusqu'à la 49e Avenue, dit-il, hésitant.

La voiture se remet en marche, lentement.

– C'est ça ! Ici, tournez à droite.

Ça y est, ça lui revient, il va être capable de les aider. Greg soupire de soulagement. Mais il n'est pas tiré d'affaire pour autant. L'automobile franchit un premier arrêt. Comment faire pour se sortir de cette situation ? Greg n'est pas un héros, mais il n'est pas un traître non plus...

Au moment où le véhicule repart après la seconde intersection, un crissement de pneus strident tire le garçon de ses réflexions. Un choc violent, un éclair fulgurant, un froissement de tôle. Happée par un camion, la voiture est projetée dans les airs et atterrit lourdement sur son toit. L'habitacle est empli de fumée. Lorsque Greg reprend ses sens, étourdi, il est suspendu la tête en bas. Ça sent la poudre à canon. Les coussins gonflables se sont déployés et les trois hommes gisent inconscients, ensanglantés, sur le plafond de la voiture. Un accident ! L'adolescent tombe lourdement sur le plafond de la voiture après avoir détaché sa ceinture. Il l'a bouclée par réflexe, sans y réfléchir, mais, visiblement, il est le seul à l'avoir fait. Il est le seul à être conscient, aussi. Et il constate que la portière juste à côté de lui a été arrachée. S'il osait...

Il replie ses jambes contre sa poitrine et se balance légèrement en regardant les corps autour de lui. Il pourrait s'enfuir. Voilà sa chance. Un des hommes se met à gémir, reprenant lentement connaissance. C'est maintenant ou jamais. Il doit fuir ! D'un coup, Greg se précipite à l'extérieur et se met à courir aussi vite qu'il le peut. Il traverse la rue sans regarder. Un autre crissement de pneus. Le garçon tourne la tête et se fige, les yeux arrondis par la peur, en voyant une voiture se diriger droit sur lui. Le conducteur freine désespérément, l'angoisse sur le visage. Il immobilise son véhicule à moins de vingt centimètres de Greg. L'adolescent détale. Il entend des cris derrière lui, on l'appelle. Il accélère et entre dans la cour d'une maison, saute par-dessus la clôture, ressort dans l'autre rue, lance un regard furtif de chaque côté en émergeant sur le trottoir. Il n'y a personne. Greg reprend sa course, sa destination en tête. La maison de Justin est juste à côté.

✧ ✧
✧

– Ta tante doit être placée dans un centre de soins palliatifs. On ne peut plus la garder ici.

– Et quand est-ce qu'elle pourra rentrer à la maison ? demande Kat, le téléphone pressé contre l'oreille.

Un silence.

– Écoute... Ta tante est trop malade pour rentrer. Son cancer est généralisé. Tout ce qu'on peut faire, c'est soulager sa douleur.

Kat laisse tomber le combiné sur ses cuisses. Un centre de soins palliatifs... C'est l'endroit réservé aux mourants. Là d'où personne ne revient. Sa tante est donc condamnée... Étrangement, ce constat ne l'émeut pas beaucoup. Kat a toujours cru que la mort était un passage. Ceux qui restent ressentent l'absence, le vide. Mais leur chagrin est purement égoïste. Les vivants s'ennuient des disparus, mais Kat est prête à parier que ces derniers ne pensent pas trop souvent à ceux qu'ils ont laissés derrière. Et puis, on ne peut pas prétendre que sa tante a été un soutien débordant d'amour, donc la jeune fille se dit qu'elle s'en remettra. Elle a toujours souffert de son attitude profondément négative. Il n'y a jamais eu de bonheur dans cette maison... Mais elle est triste que sa tutrice ait à vivre ses derniers moments dans la douleur.

– Tu es toujours là, Katherine ? demande la femme à l'autre bout du fil.

Kat se ressaisit et reprend le combiné.

– Oui, excusez-moi. C'est le choc...

– Je comprends. Ne t'en fais pas. Nous allons nous assurer qu'elle sera prise en charge dans un bon établissement. Je vais également m'occuper de contacter les services sociaux.

– Les services sociaux, pourquoi ?

Mais Kat n'a pas besoin de la réponse. La réalité la frappe de plein fouet. Elle n'est pas encore majeure et n'a plus de parents... Les services sociaux, c'est pour elle !

– Je n'ai pas besoin d'eux ! Je me débrouille très bien toute seule, vous n'avez qu'à venir voir...

– C'est ta tante qui nous a demandé de le faire. Je n'ai pas le choix, malheureusement. Peut-être que tu t'en tireras, tu auras bientôt dix-huit ans, n'est-ce pas ?

– Oui, dit Kat d'une voix étranglée.

– Alors, tu ne resteras pas avec eux trop longtemps... Ils communiqueront avec toi sous peu pour te rencontrer.

Kat remercie la dame et raccroche, comme dans un rêve. Un foyer d'accueil. Ce n'est donc pas seulement sa tante qui va voir sa vie bouleversée. Elle aussi. Soudain, l'espace d'un instant, elle envie les calmants et la morphine qui permettront à sa tutrice de vivre ses derniers moments dans le brouillard.

✧ ✧
✧

Le museau de Pénélope laisse une trace humide sur mon bras. Je l'essuie distraitement sur mon jeans, avant de prendre la tête de la chienne entre mes mains et de la secouer amicalement. Pénélope émet un grondement sourd, sa queue s'agite. Elle se libère et tourne en sautillant devant moi. Elle avance et, lorsque je fais un geste vers elle, recule précipitamment, joueuse. Je ramasse son jouet favori, qu'elle a pris soin de déposer à mes pieds, et je le lance à travers ma chambre. Elle se jette sur l'objet, un anneau de caoutchouc qui couine quand elle s'en saisit.

– Just, viens m'aider, s'il te plaît. C'est bientôt l'heure de manger.

Ma mère est à la cuisine depuis un moment déjà. Pénélope arrive avant moi, surexcitée.

– Si tu as joué avec le chien, lave-toi les mains. Je ne tiens pas à ce que nos plats soient assaisonnés de poils blonds ! Ensuite, je voudrais que tu mettes la table.

– Pas de problème, *mom*..., dis-je en me dirigeant vers l'évier.

– Et fais signe à ton père aussi. Je suis pratiquement prête à servir.

Pénélope reste dans la cuisine et place son nez sur la cuisse de ma mère en la regardant d'un air suppliant. Puis, se voyant ignorée, elle s'installe juste à côté d'elle et s'appuie de tout son poids sur la jambe de Françoise pour signifier sa présence. L'exercice déstabilise ma mère qui chancelle un instant.

– Dis donc, toi ! Tu sais choisir ton moment.

Ma mère me lance un regard faussement exaspéré, puis se met à caresser Pénélope.

– Faudra que tu te laves les mains, après..., dis-je, taquin, en ramassant les assiettes.

La sonnette d'entrée retentit. Pénélope s'y précipite. Je dépose les assiettes sur la table de la salle à manger et je la suis. Elle danse devant la porte en jappant, m'empêchant un instant d'y accéder. Finalement, je réussis à atteindre la poignée et j'ouvre en riant. Mon sourire reste figé. Gregory est là, devant moi, le visage tuméfié, les cheveux en bataille, des traces de saleté sur sa peau et les vêtements fripés. Nous nous dévisageons en silence. Je ne sais pas quoi lui dire, après la conversation qu'il a entendue entre Kat et moi la veille.

– Je..., commence-t-il en examinant la rue par-dessus son épaule. Je n'aurais pas dû venir ici.

Mon père vient me rejoindre, curieux de voir qui nous rend visite. Son visage s'éclaire quand il aperçoit Greg, puis il change complètement d'expression. L'horreur et l'inquiétude se dessinent sur ses traits.

– Entre, bon sang ! Qu'est-ce qui s'est passé ?

Le garçon est visiblement soulagé de retrouver la sécurité d'une maison et d'entendre la porte se refermer derrière lui.

– On dirait que tu t'es fait frapper par un autobus ! poursuit mon père.

– Je me suis fait ramasser par trois gars dans le parc. Comme vous êtes juste à côté, je suis venu ici.

– Viens t'asseoir dans le salon. Just, ne reste pas là à rien faire, va chercher la trousse de premiers soins et préviens ta mère !

Je pars sans un mot.

– Je vais appeler la police, ajoute mon père.

– Non, non ! Surtout pas ! s'écrie Greg. Ce serait pire encore... De toute façon, je ne pourrais même pas les identifier.

Ma mère et moi arrivons au salon. Marc est en train d'examiner les dégâts d'un œil expert en tournant et en retournant la tête de mon ami et en le tâtant un peu partout.

– On dirait qu'il y a plus de peur que de mal. Sauf pour ta joue qui est assez enflée, diagnostique-t-il.

– Si tu allais prendre une bonne douche ? suggère ma mère. Justin pourra te prêter des vêtements propres et tu resteras à souper avec nous.

– Ma... mère m'attend pour le repas, répond Greg, peu convaincant.

– Pas question que tu partes d'ici. Tu pourras nous expliquer en détail ce qui est arrivé. En plus, ça tombe bien, Françoise a préparé de la bouffe pour une armée !

Je me doute que Greg a menti sur l'origine de ses blessures. Il m'a regardé rapidement avant de raconter son histoire et je sais qu'il a caché quelque chose. Il doit avoir une bonne raison. Mais s'il ne s'est pas fait attaquer dans le parc, alors quoi ? Je ne peux m'empêcher de penser que c'est lié à moi, d'une façon ou d'une autre. Et si c'est le cas, est-il ici en ami ou en ennemi ? Depuis qu'il a quitté le garage en douce hier soir, impossible de le joindre. Il n'a pas retourné mes appels et a refusé de me voir. Tout ce que j'ai eu, c'est un courriel : « Usurpateur ! Détrousseur de vies ! Qu'as-tu fait de Justin ? » Je ne savais pas quoi dire à cela et son message est demeuré sans réponse. Un détrousseur de vies ? C'est donc ça que je suis pour lui ? Et maintenant, presque vingt-quatre heures plus tard, dans quel état d'esprit se trouve-t-il ? Je dispose les assiettes sur la table en prenant soin d'ajouter un couvert, mais tout mon entrain a disparu. Pourquoi est-il là ?

Quand Greg sort de la douche, il a déjà l'air beaucoup mieux. Mon père lui place un sac de glace sur le visage.

– Appelle ta mère et dis-lui que tu restes à coucher, commande Marc du ton ferme de celui qui contrôle la situation. Elle n'a pas besoin de plus de stress avec tout ce qui se passe chez vous... On verra comment on gère ça demain, après la foire.

La foire des sciences... Je l'avais presque oubliée ! Notre première occasion de présenter le robot. En fait, puisque Greg semblait déterminé à ne plus m'adresser la parole, j'avais fait une croix dessus. Je ne me serais jamais présenté seul avec notre œuvre commune. Enfin... l'œuvre de Justin et de Gregory, plutôt. Celui-ci me lance un coup d'œil interrogateur. J'acquiesce d'un mouvement de tête.

– C'est prêt ! lance Françoise de la cuisine.

Greg parle à sa mère au téléphone et vient nous rejoindre à la table. Il s'assoit en face de moi, devant une assiette fumante de spaghettis sauce à la viande. Nous nous dévisageons en silence. Pénélope nous observe, hésitante. Elle va poser son museau sur la jambe de mon ami qui la flatte distraitement en ne me quittant pas des yeux. Pénélope s'éloigne ensuite de lui et vient s'installer près de moi. C'est à mon tour de la flatter, sans baisser les yeux. Je ne sais pas trop comment décoder l'attitude de Greg. Je sens de la colère, de la trahison dans son regard. Et pourtant, il est ici et a accepté d'y passer la nuit... Il ne peut donc pas être complètement enragé ou effrayé de ce que je suis. En même temps, si j'apprenais que quelqu'un, ou plutôt quelque chose, a pris le corps de mon meilleur ami, je réagirais probablement comme lui.

Mis à part le comportement de Pénélope qui trahit une certaine nervosité, comme si elle était capable de percevoir la tension entre Greg et moi, le souper se déroule sans anicroche. Mes parents semblent ignorer totalement notre attitude rébarbative. Après avoir criblé Greg de questions sans tirer de réponses concrètes, mon père parle (encore) de son travail avec entrain, il complète (toujours) les phrases de ma mère. Françoise rit de ses blagues même si celles-ci manquent parfois de subtilité. Je n'ai qu'une envie : que le repas se termine au plus vite, afin que Greg et moi puissions nous retrouver seuls. Je n'anticipe pas avec plaisir l'affrontement qui risque d'avoir lieu, mais enfin... Autant s'en débarrasser et passer à autre chose ! Et aussi, je suis anxieux de savoir ce qui lui est arrivé aujourd'hui. Je sens que je n'aimerai pas ça. Mais c'est un peu comme un pansement adhésif. Ça fait moins mal quand on l'arrache d'un coup. Je me lève et commence à débarrasser la table.

– Laisse faire ça, je m'en occupe. Tu peux aller jouer avec Greg, me lance mon père.

Il n'a pas encore compris qu'à seize ans, on ne *joue* plus comme si on en avait huit... Mais je lui pardonne. Je serais prêt à leur pardonner tant de choses. Mes parents sont extra. Ils n'ont peut-être pas adapté leur langage et leur comportement à mon âge, mais ils m'aiment, ils m'acceptent, ils remplissent la maison et mon univers. En fait, si je pense en plus à Kat et à Greg, je me rends compte que jamais je n'ai connu autant de personnes significatives dans mes autres vies.

Greg sort de table en remerciant ma mère pour le repas. Je n'ai jamais voulu le blesser ! Ce n'est pas facile de composer avec tout le monde... Mais je suis soulagé, d'une certaine façon, qu'il ait découvert ma vraie nature. Pénélope nous accompagne au garage sans quitter Greg des yeux, tendue, comme si elle anticipait la même discussion houleuse que moi.

✧ ✧
✧

À chaque coup dur, Kat se protège et bloque ses émotions pour parvenir à gérer la situation. Elle est agitée, le cœur battant, mais elle doit se calmer. Elle jonglera avec ses idées noires une autre fois.

Elles sont trop fortes pour qu'elle parvienne à les bloquer complètement, mais si elle se concentre sur Justin, ça devient beaucoup plus facile. L'histoire du jeune homme est si intrigante, obsédante... Elle veut comprendre. En se rendant dans le monde où elle a communiqué avec la fille qui cherchait Justin, elle trouvera peut-être des réponses. Et ça évitera à son esprit de déraper vers autre chose, comme sa tante qui va bientôt mourir, son café préféré réduit en cendres, cette attaque qu'elle a subie et qui la tient sur ses gardes vingt-quatre heures sur vingt-quatre... Kat enferme ses pensées sombres et négatives dans un coin de son esprit. Elle y reviendra, mais pas maintenant. Ça va lui faire du bien de flotter dans l'irréel, d'oublier sa vie quelques instants. Qui sait, peut-être fera-t-elle des rencontres intéressantes, comme ça lui est arrivé si souvent ? Elle revient toujours tellement détendue... Et elle a besoin de ce répit. La jeune fille s'allonge sur le canapé du salon, dans le condo désert et silencieux.

Enfin, elle retrouve la béatitude, la sensation extraordinaire de ne plus être soumise à la gravité, de percevoir des choses beaucoup plus grandes et importantes que le monde physique où elle passe la majeure partie de son temps. Tous ses problèmes lui paraissent d'un coup insignifiants, ridicules même. Si la boule d'énergie qui la constitue pouvait sourire, elle le ferait. Elle est si bien...

Puis, une lumière orangée passe, générant en elle une vague de révulsion incontrôlable. Qu'est-ce que c'était ? Surprise, elle observe son environnement. Elle était si obnubilée par elle-même qu'elle n'y a pas encore porté attention. Une anxiété qui lui était auparavant inconnue ici l'envahit tout à coup. Les entités qu'elle perçoit désormais sont orange, hideuses et difformes. Plus aucun de ces êtres purs et fantastiques. La matière même du monde semble avoir été spoliée, salie. Elle dégage une vibration malsaine qui empêche Kat de se déplacer avec autant d'aisance. Où est-elle ? Tout a changé...

Elle constate avec horreur que les créatures orangées viennent vers elle. Elle est incapable de s'éloigner, figée sur place, tandis qu'elles l'encerclent. Kat détecte leur malveillance et leur colère. Elle est écrasée par leur énergie étouffante. Elle se souvient de son agression dans la ruelle. De cette même impression d'oppression et d'impuissance. Les choses se rapprochent, la jeune fille sait qu'elles veulent la saisir, la posséder, la détruire. Elle n'a nulle part où aller ! Nulle part, sauf...

Kat se relève en criant, sur le canapé où elle était étendue. Puis, elle éclate en sanglots, bouleversée, l'angoisse l'étreignant. Même son monde secret a changé ! Sa vie est un tas de ruines, comme son cher café. Longtemps, Kat pleure, seule dans le logement austère et froid.

✧ ✧
✧

Enfin seuls. Greg est assis à son poste habituel, moi au mien, devant l'ordinateur. Le silence est pesant. Pénélope m'apporte son anneau en caoutchouc qu'elle a retrouvé près de la porte, me signifiant qu'elle veut jouer. Je l'ignore. Je ne sais pas par où commencer et j'imagine que mon ami est dans la même situation. Le moment est long et embarrassant.

– Tu es Justin ou l'autre? demande enfin Greg.

– Écoute... Je ne contrôle pas ce que je fais. Je n'ai jamais voulu prendre le corps de ton ami, ni celui des autres avant. Je ne sais pas pourquoi je suis comme ça, mais je ne suis pas un monstre pour autant, lancé-je d'un coup.

– Donc, tu es encore l'autre...

– Ouais. Je m'appelle Zed. J'ai seize ans, comme toi, sauf que je saute de corps en corps depuis aussi loin que je me souvienne quand ma vie est menacée.

– Menacée? Comment ça?

– Je ne sais pas pourquoi, mais je ne suis jamais parvenu à rester dans un même corps très longtemps. Il y a toujours quelque chose qui se produit et je pars. Des bandits qui me poursuivent, des brutes qui m'agressent à l'école, tout ça, quoi.

Greg se tait, perdu dans ses pensées.

– Qu'est-ce qui s'est vraiment passé aujourd'hui? tenté-je.

– C'est comme j'ai raconté à ton père. Tu ne me crois pas?

– Je pense qu'il y a autre chose que tu ne veux pas me dire...

Son visage se ferme, mais un doute, un questionnement demeure.

– Et quand tu quittes un corps, qu'est-ce qui arrive? Est-ce que celui qui était là revient? poursuit Greg.

– Je ne sais pas. Ce n'est pas comme si je tenais l'esprit de quelqu'un d'autre en mon pouvoir... C'est plus comme s'il était parti et que j'avais pris sa place.

Greg grimace.

– Il revient probablement quand je m'en vais, ajouté-je précipitamment.

Le regard de mon ami est perçant comme une lance tandis qu'il me scrute, tentant d'évaluer s'il peut me croire.

– Je peux au moins savoir si ça me concerne? demandé-je en désignant sa joue tuméfiée.

– Qu'est-ce qui te fait penser ça? répond-il, méfiant.

– Juste un *feeling*. Et tu es venu directement ici plutôt que de te rendre chez toi, alors...

Pénélope, devant notre silence qui, encore une fois, se prolonge, revient me voir avec son jouet. Elle le pousse avec insistance, le reprend dans sa gueule, le laisse tomber et jappe.

– Tu es capable de faire autre chose que de sauter de corps en corps ?

J'hésite. Est-ce que je dois tout lui dire ? Il ne me fait pas confiance... Autant jouer la carte de l'honnêteté. C'est arrivé si rarement depuis que j'existe. Et, à ce point-ci, je n'ai plus grand-chose à perdre avec Greg.

– Une fois. Quand j'ai rencontré Kat, dis-je en baissant les yeux.

– Comment ça ?

Même si je fixe le sol, je sens le regard brûlant de Greg sur moi. Je prends une profonde inspiration.

– Cinq hommes dans une ruelle la retenaient. Ils allaient l'agresser ! Et j'ai vu rouge. Je ne sais pas trop... C'est comme si une énergie de la puissance d'un ouragan se déchaînait en moi, j'ai... j'ai explosé et quand je suis revenu à moi...

Je m'interromps, les mots pris dans ma gorge.

– Quoi ? Quoi ? exige de savoir Greg.

– L'un d'eux était mort et les autres se sauvaient.

La stupéfaction et une forme d'admiration se lisent sur le visage de mon ami.

– Eh bien, dis donc... C'est encore pire que moi !

– Qu'est-ce que tu veux dire ?

Gregory s'agite, se balance sur sa chaise.

– Je... J'ai mis le feu au café, marmonne-t-il.

C'est à mon tour d'afficher de l'incrédulité.

– Toi ? Pas vrai !...

– J'étais enragé ! Je ne voyais plus clair après avoir entendu ce que tu as dit à Kat. J'ai pensé que si je détruisais l'endroit où vous vous êtes rencontrés, ça te libérerait... Je sais bien que ça n'a pas de sens, complète-t-il piteusement.

– Et ce qui s'est passé aujourd'hui, c'est en lien avec ça ?

– Promets-moi que tu ne diras rien pour le café ! Ni à la police ni à Kat ! m'implore-t-il, inquiet.

Et si j'annonçais à Kat que mon meilleur ami a mis le feu à son sanctuaire parce qu'il pensait qu'elle était responsable de la transformation de Justin ? Mauvaise idée. Très mauvaise idée.

– Je te le jure, je ne dirai rien. Ce sera notre secret. Personne ne le saura, annoncé-je d'un ton solennel.

Les épaules de Greg se relâchent, comme s'il éprouvait un immense soulagement.

– Merci.

– Et si tu me racontais la suite ?

– Je n'exagère pas si je t'annonce que ta vie est en danger.

- 13 -

Le besoin de savoir est plus fort que tout

Jo se tient droite comme un piquet, les bras croisés, la bouche pincée. Elle fixe sa fille d'un regard chargé de colère.

– Qu'est-ce qui t'arrive, Sofia? Un jour, c'est la police qui m'apprend que tu es à l'hôpital, l'autre, c'est l'école qui m'annonce que tu n'es pas allée à tes cours...

La jeune fille est assise à la table de cuisine, honteuse. Elle a déçu sa mère. Non seulement ça, mais Jo était dans un tel état d'inquiétude... par sa faute. Quelle journée affreuse. Tout est allé de travers. Ça lui apprendra à vouloir déjouer les règles, c'est tout ce qu'elle mérite. Elle a été aveuglée par ce besoin impérieux, toujours ce besoin de savoir, de découvrir enfin la vérité. Mais, en même temps, si sa mère ne lui avait rien caché, elle aurait perdu tellement moins de temps, elle aurait su dès le départ ce qui lui manquait et ce qu'elle devait trouver. De la frustration et de la rage montent en elle. Elle est là à se faire enguirlander par la personne même qui est responsable de ses années de questionnements et de recherches !

– Tu m'as menti ! lance-t-elle, ne parvenant pas à effacer la frustration de sa voix.

Cette attaque désarçonne Jo.

– C'est pour ça que tu essaies de me rendre folle ? Pour te venger ? s'exclame-t-elle.

– Ça n'a rien à voir avec toi, soupire Sofia. Toute ma vie, j'ai cherché à comprendre quelque chose qui m'échappait, j'en étais obsédée. Et j'apprends maintenant que tu avais la réponse tout ce temps...

– Je voulais te protéger. Si j'avais su... Si tu m'en avais seulement parlé !

Les deux femmes restent silencieuses un instant, perdues dans leurs souvenirs.

– Il est encore vivant, maman.

– Qui ça ?

– Mon frère. Je sais qu'il existe.

– Comment peux-tu dire une telle chose ? Ton frère est mort dans la salle d'accouchement. J'ai vu son corps, je l'ai tenu dans mes bras et ça, c'est la vérité !

– Son corps, peut-être. Mais je l'ai retrouvé. Je l'ai senti.

– C'est impossible ! Il est mort, tu entends ? Mort ! Il n'a vécu que quelques secondes ! s'écrie Jo, émotive.

Ses yeux s'emplissent d'eau. Une larme glisse lentement sur sa joue. Elle détourne le regard et l'essuie rapidement. Sofia se lève et serre sa mère dans ses bras. Au contact de sa fille, Jo se laisse aller un moment, puis se ressaisit et s'assoit à la table.

– Excuse-moi...

– Si tu me répétais ce qui s'est passé cette journée-là ? Tous les détails dont tu te souviens. C'est super important pour moi.

Jo respire profondément deux ou trois fois. Elle ferme les yeux. Elle sent le parfum floral du diffuseur qu'elle a installé dans la cuisine. Elle s'imprègne de cette odeur de pré, de fleurs sauvages, d'été. Elle retourne seize ans en arrière. Dans cette chambre d'accouchement qui représentait l'espoir d'un nouveau commencement. L'attente. Puis, le besoin irrépressible de pousser, d'expulser le bébé de ses entrailles. Enfin ! Une petite fille... Une magnifique petite fille, mais elle n'a pas eu le temps de s'en réjouir. Le travail n'était pas terminé. Il en restait un. Un second être qui attendait de vivre. Et c'est alors qu'il y a eu la déchirure fulgurante qui a transformé sa vie en enfer.

– Tu es née la première, en parfaite santé. C'est quand ton frère est sorti que tout a basculé. Il y a eu un éclatement, une douleur vive et profonde. Comme un éclair d'énergie, très semblable à celui qui m'a secouée quand tu étais avec le professeur et qu'il...

Jo se tait.

– Qu'est-ce qui s'est passé ensuite ? insiste Sofia, crispée.

– J'ai perdu connaissance et, lorsque je me suis réveillée, tout était fini. On m'a dit que nos trois cœurs s'étaient arrêtés en même temps, sans prévenir. Ils ont réussi à nous ramener, toi et moi, mais quand ils sont arrivés à ton frère... Il paraît qu'ils ont tenté de le réanimer pendant une dizaine de minutes... Ça n'a rien donné. Ils n'ont jamais pu expliquer ce qui s'était produit.

– Ils ont commencé par nous et, ensuite, ils se sont occupés de lui ? s'exclame Sofia.

– Les membres du personnel médical ont fait tout ce qui était possible, mais ils n'étaient pas préparés à un tel événement. Ils étaient débordés.

– Donc, j'aurais pu mourir... à sa place, dit Sofia, songeuse.

– Ce n'était pas gagné, même quand ton cœur s'est remis à battre. Tu n'avais plus de réflexes. Nous avons dû attendre une semaine avant d'apprendre que tu allais t'en sortir, des mois avant d'être certains que tu n'aurais pas de dommages cérébraux permanents...

Un sanglot étrangle la voix de Jo.

– Mais je suis là..., murmure la jeune fille en entourant sa mère de ses bras.

✧ ✧
✧

La bibliothèque est bondée. Malgré tout, la directive du silence est respectée et les seuls bruits que Thomas entend sont le déplacement de chaises, la fermeture éclair des sacs qu'on ouvre, le cliquetis des touches d'ordinateurs enfoncées par des étudiants en train de compléter leurs devoirs et le froissement des pages qu'on tourne. Thomas aime cette bibliothèque. Il s'y rend souvent quand il doit réviser et qu'il n'est plus capable de supporter la solitude de son logement. Ici, il est seul, mais entouré de monde, et ça lui convient. Il apprécie également le fait de se trouver dans un lieu de connaissances. Il y a tant d'informations contenues dans les livres qui occupent les trois étages de l'endroit. Même les murs, tantôt de pierre, tantôt recouverts de bois sombre, semblent receler une sagesse infinie. Et l'odeur... cette merveilleuse odeur de cuir, de colle, de résine, d'encre et de papier vieillissant...

Le jeune homme préfère le dernier étage, où se trouvent les ouvrages médicaux. C'est également là que la foule est la moins dense. Il repère une table inoccupée sur le bord d'une fenêtre, dans un coin cerné de rayons massifs. Parfait. Il y installe ses affaires et se rend à l'un des postes de travail de la bibliothèque pour y chercher des livres à l'aide de mots-clés. Thomas réfléchit. Par quoi doit-il commencer ? Il vient de recevoir les résultats d'analyse du sang de Sofia. Il sait que son taux de mélatonine est anormalement élevé. Peut-être peut-il partir de là ? « Mélatonine » lui retourne deux titres qu'il va prendre dans les rayons : *La mélatonine chez les humains* et *L'usage de la mélatonine*. Il les parcourt rapidement, puis s'arrête, sidéré. Le taux de Sofia n'est pas seulement très élevé, il est dix fois plus important que les concentrations normales lors du sommeil ! Serait-ce ce qui lui permet d'entrer en transe si facilement ? La voix de Sofia lui chuchote à l'oreille qu'il n'a pas besoin de tout comprendre, qu'il doit surtout l'aider à communiquer avec les Sykrans, que le temps presse... Tout en esquissant un sourire en pensant à l'adolescente, le jeune homme se promet d'éventuellement pousser plus loin ses études sur l'hormone du sommeil. Mais il va d'abord explorer le monde des morts...

Puisqu'il ne sait pas trop ce qu'il doit chercher, Thomas décide d'y aller tout d'abord avec des livres plus généraux. Ce qu'il y trouvera le guidera dans ses prochaines sélections. Il tape : « Mort » et « Âme » dans la catégorie scientifique, et une liste de livres apparaît à l'écran. Il en retient encore deux : *Que nous arrive-t-il après la mort ?* et *Comprendre les expériences de mort imminente*. De retour à sa place, Thomas feuillette les livres. Après une heure de lecture fascinante, il les referme. Non, il est à côté du problème... Quelque chose lui échappe, il lui manque une donnée. Il a l'impression qu'elle est quelque part dans sa mémoire, mais il n'arrive pas à mettre le doigt dessus... Il devrait s'en souvenir ! La fatigue accumulée des dernières semaines commence à se faire sentir.

Il retourne à l'ordinateur et inscrit : « Mort » et « Tombeaux », ce qui propose : *Les portes de la mort : vision de l'Égypte ancienne*. Avant d'ouvrir ce nouveau livre, il passe en revue les notes de Jeffrey pour retrouver les détails sur les tombeaux de la cité d'Ur. L'odeur enveloppante de la bibliothèque, le silence apaisant, l'écriture minuscule qui saute devant ses yeux... Les mots se mêlent et se brouillent. Il ne peut pas dormir maintenant ! Il secoue énergiquement la tête.

– Je sais ce que c'est.

Thomas lève les yeux. Une étudiante, assise à la table voisine, le regarde avec un air compréhensif.

– Quoi ? demande-t-il.

– Tu t'endors, hein ? Remarque, tes notes de cours sont pires que les miennes..., dit-elle en désignant les feuilles de Jeffrey. Je m'apprêtais à sortir pour m'aérer l'esprit. Tu m'accompagnes ?

Thomas examine la jeune femme un instant. Jolie, l'œil vif, brune et voluptueuse, comme il les aime... Comme Sofia... Il est tenté un instant de tout mettre de côté et de la suivre. Une pause lui ferait le plus grand bien, il n'y a pas de doute. Viendraient ensuite un café, une bonne discussion et... qui sait ? Un mince sourire se peint sur son visage. Mais il est tiraillé par sa conscience. Sofia, poursuivre ses recherches ou s'abandonner à l'envie qui monte en lui ? Le jeune homme a de la difficulté à se reconnaître lui-même. Que doit-il faire ? Que doit-il répondre ? Il a l'impression que deux versions de lui conversent dans sa tête, une ancienne, plus raisonnable, et une autre, récente, complètement chaotique et impulsive. Il assiste, impuissant, à leur discussion. Son inconfort grandit jusqu'à devenir insupportable.

– Alors ? Tu viens ou non ? demande la fille, debout et prête à partir.

Vas-y. Non, tu dois rester. Pour Sofia. Pour Jeffrey. Et pour toi, alors ? Vas-y. Tu sais ce que tu dois faire. Tu vas le regretter. Tu vas le regretter bien plus si tu n'y vas pas ! Tu as vu comme elle est mignonne. Pas question de te lever de ton siège. Ce n'est que pour une marche, pourquoi toute cette agitation ? Tu veux l'éloigner de son objectif. Non, je veux vivre, et pas seulement dans des bouquins.

– Mais arrêtez, merde ! s'exclame-t-il, exaspéré.

La jeune femme le regarde avec de grands yeux, ramasse ses affaires en vitesse et s'éloigne sans demander son reste. *Attends, ne pars pas !* Il a dit tout haut ce qu'il devait se contenter de penser, et inversement. Thomas secoue la tête, découragé. Depuis l'incident à la Clinique du sommeil, il ne sait plus qui il est. Cet éclair qui l'a traversé, ce bras orange qui l'a saisi brutalement. Oui, c'est à partir de ce moment-là que tout a changé. Qu'*il* a changé. Le jeune homme ferme les yeux un instant, il a vraiment besoin de dormir... Mais il n'arrivera pas à le faire avant d'avoir trouvé ce qu'il cherche. Sa décision est prise. Il doit rester ici tant et aussi longtemps que le déclic ne se fera pas. Il poursuivra son débat intérieur plus tard.

Thomas ouvre enfin le livre sur l'Égypte ancienne. Les rites funéraires de l'époque des pharaons. La momification. Les croyances. Les dieux. Ce n'est toujours pas ce qu'il lui faut. Presque trois heures qu'il est ici et, jusqu'à maintenant, rien. Sauf ce sentiment désagréable qui le tiraille d'avoir quelque chose sur le bout de la langue. Il soupire. Les volumes s'empilent sur sa table, sans qu'il y ait déniché quoi que ce soit. Il est frustré, furieux de ne pas être sorti quand il en a eu l'occasion, constamment harcelé par un *tu dois trouver* insoutenable. Pourquoi se met-il autant de pression ?

Inlassablement, il retourne à l'ordinateur de la bibliothèque. Il doit tenter autre chose. Peut-être « Mort clinique » ? *Étude sur la mort clinique*. Pourquoi pas ? Au point où il en est... Il parcourt le livre distraitement, incapable de se concentrer. Ses yeux sont secs et irrités par ses lectures nocturnes. Il parvient au chapitre « L'instant de la mort ». Des références sont faites aux recherches d'un Dr Duncan MacDougall, mais les auteurs s'adressent visiblement à un lectorat qui est familier avec le fameux docteur... Son nom ne dit rien à Thomas. Il referme l'ouvrage volumineux, découragé. Finalement, il ne trouvera pas aujourd'hui. Il n'en peut plus. Qui est ce docteur ?

Thomas se prépare à partir, mais il décide de tenter une dernière chose. « Duncan MacDougall » dans le champ « Auteurs » du poste de travail. Rien. Comment ça, rien ? Dr Duncan MacDougall... Ça l'intrigue. Dans un ultime effort, le jeune homme tape le nom du docteur dans le moteur de recherche de son portable. Il sélectionne l'encyclopédie en ligne et se met à lire des articles sur les théories de l'homme, qui datent de 1907 : « L'âme a un poids, prétend le physicien. » Une explosion de lumière se fait dans l'esprit du jeune homme. Fasciné, hypnotisé, toute trace de fatigue ayant subitement disparu, il lit les extraits qu'il a sous les yeux, hésitant même à cligner des paupières pour ne pas manquer un mot.

✧ ✧
✧

Sofia appuie sur le bouton « *Play* » de la télécommande. Elle s'installe confortablement contre Jo sur le sofa et saisit le bol de pop-corn frais qu'elles ont préparé. Maintenant, elles sont prêtes ! La jeune fille s'est excusée de son comportement et a promis à sa mère d'être plus ouverte au sujet de ses recherches.

Plus de cachotteries. Plus de rendez-vous secrets. Elles vont désormais tout se dire. Sofia ressent un curieux soulagement de pouvoir enfin se confier. Jo et la jeune femme ont toujours eu une relation très harmonieuse et elle était malheureuse de la voir souffrir et s'inquiéter pour elle. C'est fini, tout ça. Elle ne partira plus sans avertir sa mère.

Jo est soulagée également d'avoir enfin tout révélé à Sofia. Ça faisait longtemps qu'elle souhaitait le faire, mais il était si difficile pour elle de revenir sur les événements pénibles qui avaient marqué l'arrivée au monde de sa fille... Maintenant, elle veut oublier les incertitudes des derniers jours. Cette soirée cinéma est une excellente façon pour Sofia et elle de recoller les morceaux et de partir sur de nouvelles bases. Jo entoure sa fille de son bras et savoure le moment, tout en pigeant dans le bol de pop-corn.

Dring ! Dring ! Les deux femmes se regardent, se demandant un instant si elles doivent répondre ou laisser sonner.

– Oublie ça, dit Sofia. Si c'est important, ils rappelleront.

Jo sourit et ignore l'appel. La sonnerie cesse. Pas de message. Elles entament le film, qui raconte comment une psychanalyste perturbée absorbe les problèmes de ses patients et les fait siens. Sofia et Jo aiment les histoires qui explorent les tréfonds de l'âme humaine et les font se questionner sur leur propre humanité. Jo, parce qu'elle en saisit les nuances et les parallèles avec la vie quotidienne. Sofia, parce qu'elle apprend à mieux cerner les rouages complexes de l'esprit humain. Elles se lancent toujours par la suite dans des discussions animées sur les émotions qu'elles ont ressenties, sur ce qu'elles ont compris. C'est un moment intime qu'elles partagent toutes deux avec délice.

L'action du film se déploie lentement sous leurs yeux. *Ping! Ping!* Elles sont à nouveau interrompues, cette fois par un avertissement provenant du téléphone cellulaire de Sofia. L'appel à la maison, puis un message texte... La jeune fille décide d'aller voir de quoi il retourne : « Appelle-moi, c'est urgent. J'ai trouvé la clé ! » C'est Thomas. Elle est d'un coup replongée dans sa quête, sa longue recherche. Elle n'ose pas se réjouir hâtivement, mais si c'était vrai qu'il avait une solution ?

– Qui c'est ? demande Jo.

– Thomas. Il veut que je l'appelle, il dit que c'est important, répond Sofia, songeuse.

– Tu devrais le faire, sinon ça va te tracasser toute la soirée. Le film est sur « Pause ». Je peux attendre quelques minutes.

Sofia se dit qu'elle risque d'être bien plus tracassée par ce que Thomas va lui révéler... Mais elle n'arrive pas à résister à l'intense curiosité qui l'habite, et elle compose le numéro du jeune homme.

– Tu étais chez toi ? Pourquoi tu n'as pas répondu quand j'ai appelé ? lance Thomas en guise de salut.

Sofia sent l'excitation et la tension dans la voix de son interlocuteur. Elle s'isole dans la cuisine.

– Qu'est-ce que tu as trouvé ? demande-t-elle, anxieuse.

– Il faut qu'on se voie. Tout de suite.

La jeune fille jette un œil en direction du salon.

– Ce n'est pas possible, proteste-t-elle à voix basse.

– Ça fait combien d'années que tu cherches à communiquer avec les Sykrans ? Je t'apprends que j'ai découvert comment et tu me réponds : Pas maintenant ? s'étonne Thomas.

– Tu es sûr de ce que tu avances ?

– Certain.

Sofia hésite. Elle sait très bien que ça ne passera pas auprès de sa mère. Mais si Thomas dit vrai... Elle ne pourra pas dormir de la nuit ! Un nœud se forme dans son ventre. Elle doit y aller.

– OK. Je vais me débrouiller, chuchote-t-elle avant de raccrocher.

Elle a promis à Jo de tout lui dire, c'est le moment de voir si cette méthode est efficace. Nerveuse, elle regagne le salon. Jo se retourne à son arrivée, souriante. Mais lorsqu'elle voit l'expression de sa fille, son sourire disparaît.

– Quoi ? s'inquiète-t-elle.

– Thomas prétend qu'il a trouvé la solution. Je vais pouvoir leur parler. Il veut que j'aille le voir maintenant.

– Maintenant ? Impossible, Sofia. On passe la soirée ensemble !

– Oui. Mais tu sais ce que ça représente pour moi..., proteste Sofia, suppliante.

– C'est non, tranche Jo, blessée que sa fille soit prête à sacrifier leur moment.

– Je fais ça pour retrouver mon frère ! s'impatiente Sofia. Ton *fils* ! Ça n'a donc aucune importance pour toi ?

Jo est soufflée par la rapidité avec laquelle Sofia a déterré la hache de guerre.

– Je comprends à quel point c'est important pour toi, commence Jo d'un ton conciliant. Mais cette soirée qu'on doit passer ensemble est nécessaire aussi.

Sofia se calme un peu.

– C'est vrai, admet-elle.

– Je suis avec toi. Je veux t'aider. Reste avec moi ce soir, poursuit Jo en tendant les bras à sa fille. J'irai te reconduire chez Thomas demain matin, à la première heure. D'accord ?

Sofia hésite. Elle a dit à Thomas qu'elle irait le rejoindre. Elle brûle d'envie de le faire. Mais elle a promis à sa mère... Elle se rassoit près d'elle et remet le film. Jo sourit et la serre contre elle.

Sofia est restée clouée à sa place toute la soirée, mais son esprit était ailleurs. Il vagabondait dans ses souvenirs de l'Exéité. L'adolescente n'avait pas le cœur à discuter de l'histoire lorsque la représentation s'est achevée. Elle a embrassé sa mère et est allée se coucher.

Maintenant, étendue sur son lit, la pensée que Thomas ait pu mettre la main sur ce qu'elle cherche depuis si longtemps lui revient en tête avec force. Et si elle se rendait dans l'Exéité ? Elle revoit le flash, le Sykran du professeur désintégré sous ses yeux, et elle frissonne. Non, elle n'est pas prête à y retourner. Pas encore. Mais qu'est-ce que Thomas a bien pu découvrir de si important ? La maison est silencieuse, sa mère s'est couchée, il est minuit passé. Pourtant, Sofia est loin de trouver le sommeil. L'amulette, ce doit être l'amulette. Ou peut-être une combinaison de facteurs ? Comment Thomas peut-il être certain de détenir la solution ? Elle l'imagine dans son logement, agité, l'attendant. Il ne sait pas qu'elle a décidé de ne pas le rejoindre. Elle n'a pas osé le rappeler ou lui envoyer un texto, craignant qu'il la fasse changer d'idée et qu'elle décide d'affronter sa mère à nouveau. Demain semble si loin, pourtant. La nuit va être longue, très longue. Sofia va se poser des questions pendant des heures. À moins que... Non, elle a promis. Elle ne fera pas ça. Mais l'idée prend forme dans son esprit et elle n'arrive pas à la chasser.

Ses yeux fixent la fissure en forme de Y qui orne son plafond. Elle ne serait pas absente longtemps. Sa mère ne le saurait jamais. Il n'y a plus un bruit dans la maison. Sofia sent l'odeur familière de ses livres et un relent de pop-corn froid, perçoit avec acuité le contact du drap molletonné sur lequel elle est étendue. À l'occasion, elle entend une voiture qui passe dans la rue devant la maison. Puis, encore le silence. Au fil des longues minutes qui s'écoulent, une détermination dense et immuable monte en elle. Se lever et quitter la maison. Non ! Sofia compte ses respirations, se concentre sur l'air qui gonfle ses poumons et qui est expulsé par sa bouche. Se calmer, dormir, attendre à demain. Mais pourquoi attendre alors qu'elle pourrait savoir maintenant ?

Presque malgré elle, elle se redresse dans son lit. Son instinct lui ordonne de ne pas bouger, de rester là. Mais sa volonté la pousse à se vêtir et à se glisser silencieusement hors de l'appartement, à l'insu de Jo qui dort depuis longtemps.

Rendue à l'extérieur, la jeune fille jette un œil autour d'elle. La rue est faiblement éclairée par les lampadaires. Elle est déserte, à part pour cet homme qui promène lentement son chien. Il ne lève pas la tête et ne semble pas la remarquer. Il est près de deux heures du matin. Un chat passe non loin d'elle, léger et silencieux. Les maisons sont, pour la plupart, noires et endormies, à demi cachées par les conifères matures qui se dressent sur les terrains et y projettent de longues ombres. L'adolescente marche d'un pas rapide. L'humidité a déjà traversé son manteau et commence à la faire frissonner. Le sentiment désagréable d'être observée, celui qu'elle a éprouvé plus tôt alors qu'elle attendait le retour de sa mère, s'installe de nouveau. Sofia regarde autour d'elle nerveusement. Elle croit voir une forme humaine dans l'ombre d'un pin. La silhouette a-t-elle bougé, est-elle le fruit de son imagination ? Sofia se détourne et allonge encore le pas. Il lui reste encore une dizaine de minutes avant d'arriver. Elle fixe son esprit sur la résidence de Thomas. Elle tente de ressentir la sécurité et la chaleur de l'endroit. Un bruit la tire de ses pensées.

Elle s'arrête et se retourne brusquement. Rien. Alors qu'elle reprend sa marche, il lui semble entendre des pas dans son dos. Elle se retourne de nouveau. Personne. L'adolescente poursuit sa route. Encore ces pas qui se joignent aux siens. Elle décide de ne pas jeter un œil encore derrière elle, mais elle accélère, court presque. *Top ! Top ! Top !* Le bruit des pas parvient maintenant nettement à ses oreilles. Ils ont accéléré également. Sofia s'arrête une fois de plus. Un autre regard en arrière, toujours rien. À moins que... Une ombre, un léger mouvement dans l'obscurité d'une maison. Son cœur bondit et elle détale. Les pas la suivent, décuplent, ils sont plusieurs, ils résonnent partout, elle panique. Qui en a contre elle ? Qui la suit ? Combien sont-ils donc ? Les maisons défilent les unes après les autres, sombres et hostiles. Les pas se rapprochent, malgré la fuite désespérée de Sofia. Sans s'arrêter, elle se retourne pour tenter de voir ses poursuivants. Son pied rencontre le vide. Une bordure de trottoir. Elle perd l'équilibre, incapable de réagir à cette vitesse. Et elle tombe, sans parvenir à se protéger, tête première sur l'asphalte glacé.

- 14 -

Une pièce qui a du poids

Sofia a la tête qui tourne, elle est aveuglée par la douleur. Où est-elle ? Que s'est-il passé ? Sa joue frotte contre l'asphalte rugueux et froid. Son épaule et sa tête... Ouch ! Elle tente de bouger, de se relever. Ça fait trop mal. Elle est étourdie. La jeune fille aperçoit deux pieds devant ses yeux. Des pieds d'homme. Elle se redresse sous l'effet de l'adrénaline.

– Toute une chute..., dit une voix.

Non sans difficulté, elle se tient debout, chancelante, effrayée, devant l'inconnu. Les pas qui l'ont fait fuir... Cet homme lui en veut, c'est sûr ! Pourtant, il la considère en souriant, l'observe sans la moindre méchanceté. Il sort un téléphone cellulaire de son manteau.

– Je vais appeler la police. Tu habites loin d'ici ?

La police ? Pas question ! Sa mère saurait tout ! Elle ne lui ferait plus jamais confiance... Sofia pose sa main sur le téléphone de l'homme.

– Ce n'est pas nécessaire. Je suis à deux coins de rue. Merci, dit-elle en se frottant la tête.

Son visage brûle. Une chaleur intense émane également de son épaule gauche. Sofia ignore la douleur et s'éloigne en titubant, faisant un effort surhumain pour marcher le plus normalement possible. Quels étaient donc ces pas qui l'ont fait paniquer? Le cœur battant, elle avance en direction de chez Thomas. C'est vrai qu'il vit à deux coins de rue. Heureusement, parce qu'elle serait incapable de se rendre plus loin. Elle sent le regard de l'homme fixé sur elle. Son hésitation. Devrait-il appeler la police quand même? Sofia espère très fort qu'il va plutôt se résoudre à reprendre sa route. Elle jette un bref regard au-dessus de son épaule. L'homme s'éloigne. Elle l'a échappé belle.

✧ ✧
✧

Le logement est plongé dans l'obscurité. Seule la lampe de bureau éclaire toujours la table de cuisine. Mais Thomas est au salon, dans l'obscurité presque totale. Assis, raide comme une barre, sur le canapé. Malgré l'heure avancée, il ne parvient pas à trouver le sommeil. Ses yeux luisent d'un éclat fiévreux. Il se lève en marmonnant des mots inintelligibles. Il se rassoit, se relève. Il a bien compris, à deux heures du matin, que Sofia ne viendra pas cette nuit. Il l'a attendue des heures. Elle n'a pas dû pouvoir se libérer. Elle arrivera sans doute très tôt dans la journée. Plus que quelques heures à patienter. Thomas sait ce qu'il a à faire : la convaincre de se rendre dans l'Exéité. Il ne se droguera pas, pas cette fois. Quand il saura qu'il a raison, qu'il a effectivement trouvé la clé, alors il fera exactement comme Jeffrey. Et il se rendra lui aussi dans le monde en question. Mais il réussira, lui. Il reviendra pour en parler. Et le succès sera à lui ! Des coups à la porte. Se pourrait-il ?...

Thomas se précipite et ouvre à une Sofia ensanglantée, le regard brouillé et incertain.

– Merde ! C'est quoi, ça ? s'exclame-t-il.

Sofia s'essuie le visage avec une débarbouillette que lui a amenée Thomas. Mais pourquoi tout ce sang ? Elle a un choc en se voyant dans le miroir. Ses cheveux sont dans le désordre le plus complet. Tout le côté droit de son visage est égratigné. Elle a le nez enflé, aussi. Le sang vient de là. Son épaule est endolorie, mais elle bouge normalement. Rien de cassé, au moins. Et elle est en sécurité, chez son ami... L'adolescente se détend un peu. Thomas vient s'asseoir près d'elle. Quelle étrange lueur dans les yeux du jeune homme... Une insistance, une soif, une folie... Elle ne parvient pas à le décoder et elle s'inquiète. Plus les jours avancent, plus son état empire.

– Il faut que tu retournes dans ce monde, dit-il.

– L'Exéité ? Pas question. Pas encore. J'ai besoin de temps..., proteste-t-elle.

Elle sait qu'elle doit le faire, mais elle a peur. Peur de ce qui pourrait arriver. De qui elle pourrait tuer.

– C'est toi qui disais que c'était urgent ! Rassure-toi, je ne veux pas t'accompagner, juste superviser tes signes vitaux.

– Le professeur m'a affirmé la même chose, la dernière fois. Et regarde ce qui s'est passé...

L'espace d'un très bref instant, si rapide que Sofia se demande si elle a rêvé ou si le faible éclairage lui joue des tours, une expression d'intense frustration passe sur le visage de Thomas. Il en devient presque laid. Puis, c'est déjà terminé. Il sourit de nouveau.

– Je t'explique ce que j'ai trouvé ? demande-t-il, charmeur.

– Je suis ici pour ça !

– Tu te souviens des différents éléments qu'on avait envisagés ? L'amulette, la drogue, la pièce de métal, l'alignement des corps...

– C'est l'amulette, n'est-ce pas ? Je l'avais dit au professeur, mais il ne m'a pas écoutée.

– C'est la pièce, laisse tomber Thomas solennellement.

– La pièce ? Comment peux-tu en être sûr ?

– Tu te rappelles de son poids ? Toujours, invariablement, trois quarts d'once... Tu sais quoi d'autre possède le même poids ?

Sofia réfléchit un instant, mais Thomas est trop excité pour la laisser y penser longuement.

– Depuis le début, poursuit-il, c'était aussi évident qu'un bouton sur le nez ! Seulement, je n'ai pas cliqué parce que les mesures ont été prises avec le système impérial. Tu sais combien font trois quarts d'once en métrique ? Vingt et un grammes !

Thomas déclare cela comme s'il s'attendait à ce que Sofia ait une révélation. Mais l'incompréhension se lit toujours sur son visage tuméfié.

– C'est vrai que tu ne peux pas tout savoir..., souligne-t-il, un peu déçu. Vingt et un grammes, c'est le poids exact que perd le corps humain à la mort... C'est le poids de l'âme ! Une coïncidence, d'après toi, que la pièce placée sur le front des morts pèse précisément la même chose ?

Sofia est sidérée. Elle savait instinctivement que la position du corps n'avait rien à voir avec l'Exéité. Les amulettes reposent dans un musée en Irak. Mais des pièces de métal de vingt et un grammes, ils peuvent trouver ça n'importe où...

– Si ta théorie est exacte, que viendrait faire la pièce ? demande-t-elle.

– Ce que je pense, c'est qu'elle permet à ton Sykran de se libérer un peu plus de ton corps, puisque l'équilibre y est maintenu. Ton âme redevient l'essence même de ce qu'elle est, sans être constamment tiraillée par le besoin de réintégrer ton enveloppe physique.

– C'est logique..., fait Sofia, rêveuse. Il faudra que je l'essaie.

– Il ne me manque que quelques appareils. J'irai les chercher ce matin à l'université. Tu pourras t'installer ici.

– Pas question que je fasse ça avec toi ! Une fois, j'ai laissé quelqu'un m'observer et il en est mort ! Je ne supporterais pas que ça t'arrive. De toute façon, je dois rentrer chez moi avant que ma mère se réveille.

Sofia se lève.

– Attends !

Thomas la saisit par les épaules. Elle gémit et grimace en sentant les doigts du garçon se resserrer sur sa contusion. Il la lâche.

– Excuse-moi... Mais il faut qu'on fasse le test. Il le faut !

L'obstination se peint sur ses traits. Sofia est troublée.

– J'ai déjà vu cette expression-là auparavant... dans les yeux du professeur ! lâche-t-elle.

– Jeffrey était un grand scientifique..., commence Thomas.

Sofia roule des yeux.

– Sérieusement ? dit-elle, sarcastique.

– J'ai parcouru ses notes, toi non ! s'échauffe Thomas. Ça fait des jours et des nuits que je suis dans son univers. Je le connais mieux que personne ! Je serais honoré de lui ressembler !

– Son arrogance lui a coûté la vie. Et tes paroles en sont pleines. Plus tu essaies de me convaincre, plus je suis sûre que je ne veux pas tenter le coup avec toi, se bute Sofia.

Encore une fois, le visage de Thomas se tord en une grimace de frustration. Puis, il éclate d'un rire chaleureux et franc. Sofia reste interdite par la tournure subite de leur échange. Il la regarde, amusé, un sourire taquin sur les lèvres.

– Tu sais que tu peux être sacrément têtue, quand tu veux ? fait-il doucement. J'aime ça...

Thomas prend Sofia par la taille et la plaque contre lui. Elle a le souffle coupé par le frisson intense qui part de son bas-ventre et remonte le long de sa colonne vertébrale. Elle sent le corps du jeune homme contre le sien, ses mains douces qui la maintiennent, son souffle légèrement sucré. Elle lève les yeux vers lui. Thomas a le regard chargé de désir. Un mouvement imperceptible de sa tête se rapprochant de la sienne, puis cessant, en attente de son approbation. L'adolescente ferme les paupières, les lèvres tendues. Elle sent le contact chaud et électrisant, la langue de Thomas qui pénètre dans sa bouche et qui caresse la sienne... La pièce semble tourner autour d'elle, orangée et vibrante, elle va perdre l'équilibre. Et elle se dégage brusquement, incapable de soutenir plus longtemps l'intensité des émotions qui la traversent. Elle a le souffle court, Thomas est là, encore appuyé sur elle. Enfin, il la lâche et s'éloigne.

– Je m'excuse. Je ne sais pas ce qui m'a pris..., dit le jeune homme, profondément troublé.

Sofia le regarde avec tendresse. La force des sentiments qu'elle éprouve pour lui...

– Je sais que tu fais tout ça pour moi. Ce que tu as trouvé, c'est merveilleux.

La jeune fille s'approche de Thomas, prend son visage entre ses mains et pose ses lèvres sur les siennes. Le baiser est long, sensuel, langoureux et sauvage en même temps. Encore une fois, cette sensation de tourbillon, de chute, de puissance, les odeurs qui entourent Sofia lui viennent en force, l'air semble se teinter et se solidifier...

– C'est d'accord.

– Quoi donc ?

– On va tester ta théorie, conclut-elle, subjuguée.

✧ ✧
✧

Jo ouvre les yeux. L'aube dessine faiblement les contours des meubles dans sa chambre. Le cadran indique cinq heures. Elle se lève, se dirige machinalement vers la salle de bain, la tête encore lourde de sommeil. C'est dimanche, elle peut se recoucher et dormir trois bonnes heures de plus. Ensuite, elle accompagnera sa fille chez Thomas. Sa fille... Alors qu'elle se passe de l'eau dans le visage, elle remarque la brosse à dents de Sofia. Oui, elles ont vécu des moments difficiles, ces derniers temps. Oui, elle l'a sentie s'éloigner d'elle à la vitesse grand V. Mais la soirée d'hier... Ça lui a fait un bien fou de sentir la présence de Sofia à ses côtés, de partager le plaisir de regarder un bon film. Dommage que l'appel de Thomas ait troublé le tout. Jo a vu que sa fille était par la suite plus soucieuse, qu'elle ne parvenait pas à chasser les questions de son esprit. Elle lui est reconnaissante d'avoir joué le jeu, d'être restée avec elle, d'avoir reconnu que c'était un moment qui leur appartenait à toutes les deux...

En sortant de la salle de bain, la femme hésite. La porte de la chambre de Sofia est sur la gauche. Et elle est si belle quand elle dort... D'un pas silencieux, elle s'y dirige. Elle tourne la poignée et pénètre dans la pièce tout doucement. Elle s'approche du lit de sa fille, puis s'arrête net. Sofia est étendue sous sa couette, le visage enfoui dans ses oreillers, exactement comme Jo le fait elle-même ! Impossible de la renier... Rassérénée, Jo regagne sa chambre.

Lorsque la porte se referme, Sofia pousse un soupir de soulagement. Il était moins une, sa mère a failli la surprendre ! Dans quelques heures, elle retournera dans l'Exéité. En attendant, il lui faut dormir un peu avant de monter son plan pour retrouver Thomas sans que sa mère voie son visage amoché.

- 15 -

Des robots et des hommes

Les Chakrans se terrent habituellement en un seul endroit de l'Exéité. Ils ont développé un univers qui obéit à leurs propres règles, en parallèle à celui des Sykrans, tapis dans l'ombre.

Une forme de frénésie et d'agressivité s'est maintenant emparée des Chakrans. Ils s'agitent et se déplacent aux yeux de tous, sans peur. Ils sont plus forts et plus courageux qu'avant et semblent guidés par une puissante raison d'être.

Les Sykrans perçoivent un léger frisson malfaisant. Une menace orangée qui perturbe la matière de l'Exéité, comme un vent qui se lève avant l'orage.

La lumière du jour naissant pointe faiblement à travers le store de la chambre de Justin. Greg, du futon sur lequel il a passé la nuit, observe son ami qui dort paisiblement dans son lit. Sa respiration est lente et rythmée. À l'occasion, un ronflement plus sonore. Justin semble si détendu, si parfaitement inconscient de la menace qui pèse sur lui. Si vulnérable... Greg se lève silencieusement, les muscles encore endoloris par ses mésaventures de la veille, et s'approche de lui, son oreiller serré contre sa poitrine. Son ami, son nouvel ami qui a pris la place de l'ancien. En un geste, il pourrait étouffer son existence. Mettre fin à toute cette histoire. Le faire disparaître dans un autre monde...

Greg se demande si Justin fait bien de le croire son ami... A-t-il raison de lui faire confiance ? Greg a pourtant failli le vendre à des inconnus qui veulent attenter à sa vie. Il l'aurait fait, s'il n'y avait pas eu cet accident miraculeux. Les trois hommes ont-ils survécu ? Le recherchent-ils en ce moment même ? Si c'est vrai que Zed peut les anéantir par la seule force de sa volonté, alors Greg est vraiment content d'être à ses côtés. Il repense à sa mère, sans doute de retour dans leur maison, là où les individus l'ont kidnappé. Il espère qu'ils ne se serviront pas d'elle. Le meilleur moyen de la protéger, c'est de rester à distance, le temps d'y voir plus clair.

Toute la nuit, il s'est interrogé à savoir pourquoi ses ravisseurs avaient démontré un tel intérêt pour Just. Greg regarde ce corps endormi devant lui et se demande si son ami lui a tout dit. Si c'est le cas, quelque chose leur échappe encore. Un morceau manquant du puzzle. Kat, le café. L'adolescent est convaincu qu'il y a un lien, mais lequel ? Les malfaiteurs observaient déjà le café. Et Greg est certain qu'ils n'étaient pas malheureux qu'il ait été réduit en cendres... En fait, il se demande si ce n'était pas justement leur intention. Dans ce cas, il a été leur instrument ! Mais dans quel but ? Si Justin a effectivement agi en protecteur d'une faible femme sans défense, s'il est une force de la lumière, ces hommes sont-ils des serviteurs de l'ombre ? Qui est leur chef ? Se trouve-t-il dans ce monde ou dans celui des esprits ?

Lentement, je sors du sommeil. Je m'agite dans mes draps. En ouvrant les yeux, je constate que Greg est debout devant mon lit, les yeux vides. Je me redresse, surpris. Il me sourit et s'assoit près de moi. Il a un drôle d'air.

– J'ai compris ce qui se passe.

– De quoi tu parles ? demandé-je, confus.

– Les forces de l'ombre se regroupent. Elles sont en train de planifier leur attaque.

Je regarde mon ami, interloqué. On dirait qu'il est en transe, perdu dans ses pensées ou ailleurs. Ce qu'il dit n'a aucun sens.

– Tu ne vois donc pas? insiste-t-il d'un ton sinistre. Nous devons nous préparer. Le combat ultime approche.

✧ ✧
✧

Kat regarde distraitement les tableaux insipides qui couvrent les murs de la chambre de sa tante. Les icônes religieuses, le crucifix au-dessus de la porte. Le lit, qui n'a pas été défait depuis des jours, des semaines. Il flotte dans la pièce une odeur de renfermé. Une odeur de vieille personne qui, maintenant, est au seuil de la mort. Qui va bientôt rejoindre le monde des âmes. Kat sourit brièvement en imaginant la surprise de cette femme austère et pieuse quand elle constatera qu'elle n'a pas rejoint saint Pierre à la porte du paradis. Elle va sans doute confondre les créatures qui peuplent cet univers avec des anges. Elle croira qu'elle est un ange elle-même...

Puis, la jeune fille repense à son dernier voyage, à ces bêtes immondes qui la menaçaient, l'encerclaient. Tout était différent... Il faut qu'elle en parle à Justin. Elle ne s'attend pas à ce qu'il ait une réponse, mais elle est certaine qu'il a perçu le changement, à sa façon, et qu'il a gardé ça pour lui.

✧ ✧
✧

Danny est ankylosé. Il a somnolé dans sa voiture, au froid. Quand il a vu les lumières de la résidence s'éteindre pour la nuit, il aurait pu rentrer chez lui prendre quelques heures de repos avant de poursuivre sa surveillance. Mais il ne voulait pas risquer de perdre la fille. Pas maintenant. Et il se félicite de son choix. Pour un dimanche, il est encore tôt. Pourtant, elle vient de sortir de chez elle. Enfin de l'action ! Il se redresse, sans quitter sa cible des yeux. Oh oui, il s'en promet avec elle... Mais, pour le moment, il faut qu'il se contente de la prendre en filature. Ce sont les instructions qu'il a reçues et Danny sait très bien ce qui arrive à ceux qui ne respectent pas les ordres.

Il attend que la fille se soit un peu éloignée, puis démarre sa voiture. Il la voit marcher d'un pas déterminé le long du chemin du Souvenir. Elle franchit la 50e Avenue et tourne à gauche dans la 49e. Lentement, très lentement, il la suit. Toujours à distance. Il ne faut surtout pas qu'elle sache qu'il est là, sinon ça va tout faire rater. Elle traverse la rue des Collégiens. Il s'arrête au stop et repart en douceur, les yeux rivés sur elle comme un fauve qui guette sa proie, tapi dans la savane. Avec un peu de chance, elle va aller retrouver le garçon. C'est ici que les autres ont perdu le morveux qui devait leur indiquer la maison. Danny aurait bien filé ce Justin quand il s'est pointé avec la fille au café après l'incendie... mais on lui a interdit de s'en approcher. Ce n'était pas le temps, que le boss lui a dit. Danny, Mike et les autres n'ont pas compris pourquoi, mais personne ne discute les ordres. Et maintenant, c'est devenu prioritaire de retrouver le gamin... Il faudrait qu'il se branche, le boss.

Surpris, Danny freine brusquement. Un camion de livraison lui barre la route, en travers de la rue. Le fourgon recule en bipant, tentant de se stationner face au quai d'accès d'un des commerces. Danny étire le cou, voit Kat s'éloigner et disparaître derrière la benne du camion. Le chauffeur, visiblement inexpérimenté, doit s'y prendre à plusieurs reprises. Il avance, recule, avance de nouveau, recule... La rue est pleine de voitures, aucun endroit pour se garer, il est coincé. Exaspéré, Danny sort de son véhicule et court vers l'endroit où il a perdu la fille de vue.

Il regarde autour, fébrile, mais ne l'aperçoit nulle part. Des klaxons se font entendre. Le camion a finalement libéré la voie, mais les automobilistes sont bloqués derrière sa voiture à lui, qu'il a laissée en plein milieu du chemin. Il s'en fout. Où est la fille ? Il marche encore, regarde à l'intérieur de quelques commerces, puis retourne finalement à son véhicule en faisant un doigt d'honneur bien senti aux gens furieux qui lui lancent des injures par la fenêtre de leur auto.

Il sillonne les rues, encore et encore. Sans succès. Elle a disparu ! Il pousse un hurlement de rage qui résonne dans l'habitacle.

Kat ressort du magasin, étonnée. Elle déteste les cafés sans saveur offerts dans les dépanneurs. Et pourtant, elle est là, un café à la main. Qu'est-ce qui a bien pu lui prendre ? Elle le goûte. Il est infect, mais il la réconforte tout de même. Comme si le fait de sentir le contact chaud du verre de carton dans ses mains la libérait d'un poids énorme... Elle poursuit sa route dans la 49e Avenue, en espérant que Justin est toujours chez lui.

✧ ✧
✧

Le poing du chef s'écrase sur le comptoir de métal. Danny se recroqueville sur place, comme un enfant pris en défaut. Il déteste ce sentiment de défaite. Échoué... Il a échoué... Il ne se le pardonnera jamais. Il ne pardonnera jamais ça à la fille. Tout est sa faute à elle ! Cette salope lui a glissé entre les mains, mais ce n'est que partie remise... Elle va le lui payer.

– Chef..., commence-t-il.

– Assez !

Le boss l'ignore, scrutant la carte du quartier étendue sur la table de métal du garage. Les deux jeunes ont été perdus au même endroit. La fille était à pied. Il est sûr qu'elle allait retrouver le garçon qu'ils cherchent. Sa maison n'est donc pas loin. Il trace un cercle au crayon à mine, un périmètre de recherche.

– Organise une équipe, je veux que vous patrouilliez dans ce secteur-là, dit-il en désignant le cercle qu'il vient de faire. Concentrez-vous sur le quartier de la rue du Parc.

Danny absorbe les ordres, s'approche de la carte pour voir le périmètre. Le chef n'est pas d'une taille imposante. Il est plutôt de constitution moyenne et ses traits sont réguliers et fins. Il contraste drôlement avec les autres membres du gang. Par contre, il se dégage de lui une puissance inimaginable. Personne ne saurait remettre en question le fait que c'est lui qui mène. D'ordinaire, le chef ne laisse jamais transparaître ses émotions, sauf quand il est en colère. Mais là, il semble agité, nerveux. C'est la première fois que Danny le voit dans cet état.

– Dépêche-toi ! Sors de mon bureau. Vite !

Danny ne comprend pas l'urgence qu'il entend dans sa voix. Le patron sait pourtant qu'il a hâte, plus que n'importe qui, de retrouver les jeunes. Il se dirige vers la porte. Avant de partir, il lance un dernier coup d'œil dans la pièce. Quelque chose a changé... Tout est plus sombre, comme recouvert d'une étrange glu orangée. Les odeurs qui flottent dans la pièce se font plus huileuses, plus persistantes. C'est subtil, mais ça trouble Danny. Le patron examine autour de lui, anxieux, comme s'il percevait quelque chose d'invisible. Il a même l'air d'avoir peur !

– Chef... Qu'est-ce qui se passe ?

– Fous le camp ! Maintenant !

Danny s'en va à contrecœur. Il se passe quelque chose, c'est sûr... Mais il n'ose pas défier l'ordre on ne peut plus clair de son patron. Il ferme la porte derrière lui, songeur. Puis, il hausse les épaules. On lui a confié une mission, il doit l'exécuter. Plus d'erreur, cette fois.

Le boss transpire. Il sait qu'Il arrive et qu'Il ne doit pas être content. L'homme se déplace fébrilement dans la pièce, qui prend une teinte de plus en plus orangée. Il sent l'air vibrer différemment, il perçoit Sa colère, Son agressivité, Sa puissance... Tout à coup, il est projeté avec un bruit sourd contre le mur où il reste écrasé, comme s'il y était maintenu par une force invisible. Il étouffe, cherche son air.

– Je sais... On a encore raté. Mais on le tient presque... J'ai juste besoin... d'un peu plus de temps...

Il est lancé avec violence contre son bureau sur lequel il reste ensuite plié en deux, son ventre appuyé sur la table.

– Donnez-moi une chance ! On peut le retrouver...

Il gémit sous le poids invisible qui le retient. Sa lampe de bureau l'aveugle d'un éclat orange vif. Il ne peut pas détourner la tête, il ne peut plus cligner des yeux. Ses paupières restent ouvertes, ses pupilles se contractent, il fixe la lumière, il ne voit plus que ça. Il gémit de plus belle.

– Non... s'il vous plaît ! se plaint-il.

Tout à coup, son corps se relâche et glisse doucement sur le sol où il demeure étendu, inerte. L'air dans la pièce tourbillonne, chargé d'électricité. Puis, l'homme se relève, le regard vide.

– Maintenant, c'est moi qui commande, dit-il d'une voix d'automate. Je vais le détruire.

✧ ✧
✧

La maison est cossue. Un modèle contemporain de briques grises, avec de grandes fenêtres encadrées de noir. Kat se souvient de la première fois où elle s'est rendue chez Justin. Que d'événements se sont produits depuis ce jour lointain ! La jeune fille fait rapidement le calcul et constate qu'il ne s'est écoulé que quelques jours. Elle sourit. Le temps, ou la perception du temps, est décidément très élastique... Une porte rouge trône au-dessus du large escalier, invitante, chaleureuse. Cette maison respire la joie de vivre et le bonheur. Elle comprend Justin, ou Zed, de s'y sentir à sa place. Elle aimerait, elle aussi, avoir une demeure et une famille qu'elle aurait hâte de retrouver, chaque soir... Mais pas de temps pour l'apitoiement. La porte d'entrée s'ouvre, au moment où elle s'apprête à s'engager dans l'escalier. Elle reste figée sur place, le pied sur la première marche.

Nous nous rendons à la foire des sciences. Greg sort de la maison, muni de pancartes pour notre kiosque, et s'arrête net sur le balcon. J'arrive derrière lui, les bras encombrés par le robot que je transporte. Et je vois Kat, immobile au pied de l'escalier. Nous nous fixons tous les trois un moment sans rien dire, surpris.

– Qu'est-ce que tu as sur la figure ? ne peut s'empêcher de demander Kat à Greg, dont la joue a pris une teinte violacée.

Greg me jette un regard agacé.

– Vous avez arrangé ça, tous les deux, dit-il.

– Je te jure que non ! protesté-je.

– Je suis venue sans être invitée..., complète Kat.

Mon ami nous regarde tour à tour, méfiant, puis descend les marches, contourne Kat en l'ignorant et va porter les affiches dans la voiture. Je le suis, mais je souris à la jeune fille en passant près d'elle. Elle agrippe ma manche.

– Il faut qu'on parle, m'annonce-t-elle gravement.

– Je lui ai expliqué pour la ruelle. Il sait tout, la préviens-je en lançant un œil en direction de Greg qui a le nez dans le coffre de l'auto.

– Alors, il faut que je vous parle à tous les deux, prononce Kat d'une voix forte, pour être certaine que Greg l'entende. C'est important.

Je vais déposer le robot dans le coffre.

– Tu ne lui diras rien pour le café, hein ? me lance Greg en douce quand j'arrive à ses côtés. Tu as promis !

– Je ne dirai rien.

Les épaules de mon ami se relâchent.

– Invite-la à venir avec nous, alors. Elle pourra nous raconter là-bas. Mais il faut y aller. Qu'est-ce qu'il fait, ton père ?

Greg est stressé. Il a encore des soupçons par rapport à Kat. Mais, à la suite de son enlèvement de la veille et de ce que je lui ai révélé, il comprend également que Kat, lui et moi sommes dans le même bateau. Aussi bien ramer tous ensemble. Je lui donne une petite tape dans le dos et me dirige vers Kat.

– Vous partez, à ce que je vois, fait-elle, déçue. C'est important, Justin ! Donne-moi seulement quelques minutes.

– Greg propose que tu nous accompagnes. Évidemment, ça veut dire que tu vas être prise avec un lot de *nerds* du secondaire pendant trois heures...

Le visage de mon amie s'éclaire.

– J'adorerais ça ! Tu es sûr que c'est Gregory qui l'a suggéré ? ajoute-t-elle à voix basse, incrédule.

Je hoche la tête et nous échangeons un sourire.

– Bon, les gars, vous êtes prêts ? demande mon père en sortant de la maison.

Comme Greg et moi un peu plus tôt, il est surpris par la présence de Kat. Je fais les présentations, gêné. Il me lance un regard entendu. Mais il n'y a rien à y entendre ! Pas dans le sens qu'il suggère en tout cas. Mon embarras est évident devant son enthousiasme un peu trop débordant.

– Que ça me fait plaisir ! lance-t-il en serrant vigoureusement la main de la jeune fille. Il est temps que mon homme s'intéresse un peu aux demoiselles. Comme ça, tu fais le trajet avec nous ?

Je suis rouge jusqu'aux oreilles. Kat et Greg, quant à eux, semblent s'amuser follement.

– Et si on embarquait ? Il ne faudrait pas être en retard, marmonné-je avant de m'engouffrer dans la voiture.

✧ ✧
✧

Le gymnase où nous nous trouvons grouille de monde. Il y a des kiosques partout, les visiteurs sont groupés autour de ceux-ci comme des mouches sur un morceau de viande en décomposition. Il fait chaud, trop chaud, l'atmosphère est étouffante. Nous suons à grosses gouttes, mais j'adore l'expérience.

Notre robot génère beaucoup d'intérêt, même s'il n'est pas tout à fait terminé. Ses fonctionnalités existantes sont déjà hyper cool, comme son harpon qui tourne et peut soulever les robots des concurrents. Mais c'est surtout l'agilité de la bête qui suscite l'admiration. Elle se déplace et se contrôle avec une précision qui nous rend très fiers, Greg et moi. Mon ami a préparé une série de cartons sur lesquels il présente sa stratégie d'attaque lors d'un combat. Nous sommes arrivés un peu juste pour monter notre table et l'aide de Kat a été bien appréciée. Même Greg l'a remerciée ! Et, par la suite, ça n'a été qu'un flot continu de visiteurs.

– Les juges ne devraient pas tarder. Ils sont dans la rangée d'à côté, m'annonce Kat qui était allée jeter un œil aux autres projets en démonstration.

Quand je transmets l'information à Greg entre deux questions, il devient surexcité. Cette foire des sciences, c'est en quelque sorte le lancement de notre robot, sa première apparition publique. Mon ami a décidé de le baptiser Stratego. Je trouve que ça lui va bien. À savoir s'il est destiné à un long parcours glorieux, ça reste à voir. Mais, pour le moment, considérant la file de gens qui attendent pour le toucher et l'examiner de plus près, je peux dire que nous sommes une des attractions les plus populaires.

Quand les juges tournent le coin et commencent à évaluer ce que présentent nos voisins, Greg ne tient plus en place. Il répond de manière distraite, les yeux rivés sur les membres du comité de sélection. Tout à coup, un large cercle se dégage dans la foule qui se masse devant notre kiosque et les juges se retrouvent tous les quatre devant nous. Mon ami les accueille avec un large sourire. Nous avions convenu dès le départ que ce serait lui qui s'adresserait à eux. Il est en mesure de répondre à n'importe laquelle de leurs interrogations, alors que moi... Disons que je suis encore loin de son niveau en matière de robotique.

Greg fait avancer et reculer la créature de métal sous les yeux intéressés des trois hommes et de la femme. Deux d'entre eux sont professeurs d'université, les deux autres, présidents de grandes entreprises spécialisées en haute technologie ! Mon ami est comme un poisson dans l'eau. Il est passionné, convaincant, charmeur. J'ai de la difficulté à reconnaître le garçon taciturne des dernières semaines. Je suis content de le voir si parfaitement heureux. Je souris à Kat qui s'est installée à côté de moi.

– Maintenant que tu as quelques minutes, il faut que je te dise..., me souffle-t-elle à l'oreille. Quelque chose se passe dans le monde des morts. C'est devenu différent et dangereux. Il y a un lien avec toi, c'est sûr. Quelque chose se prépare. Et maintenant que tu m'as expliqué ce qui est arrivé à Greg hier, je suis certaine que nous sommes en danger tous les trois.

Moi qui avais oublié la situation compliquée, les complots, l'agression, le kidnapping, le sentiment d'oppression qui m'habite presque en permanence maintenant... Les mots de Kat me ramènent durement à la réalité. D'abord Greg, puis elle. Je sais bien qu'une ombre plane au-dessus de nous. Je n'ignore pas que je devrai probablement quitter ce monde bientôt. Je sens la menace, pesante et sombre. En même temps, ne suis-je pas capable, pour la première fois, de me défendre ? J'ai tué un homme ! J'ai déjà sauvé Kat, je pourrai le refaire. Je veux rester ici. Mais pourquoi mes amis sont-ils visés également ? Peut-être parce qu'ils sont mes amis, justement. Je devrais les éloigner pour les protéger. Mais en même temps, si je ne suis pas avec eux, ils sont encore plus vulnérables, non ? Je fronce les sourcils, perdu dans mes pensées.

Les juges sont partis et Greg se retourne, extatique. Mais il perd son expression de joie en voyant mon visage renfrogné. Je tente de lui sourire, je ne veux pas gâcher son moment. Mais c'est trop tard. Lui aussi vient d'être ramené à la réalité.

- 16 -
L'attaque se prépare

Les Sykrans peuvent communiquer entre eux. Leur langage est composé de flashs lumineux qui parcourent leur être, des modulations énergétiques que les autres Sykrans peuvent interpréter.

Par contre, cette faculté échappe totalement aux Sykrans qui possèdent un corps. Ils ne parviennent pas à décoder les impulsions des autres. Ils peuvent se toucher, un tentacule après l'autre, et partagent ainsi un peu de leur énergie. Cela leur permet d'échanger des images, incohérentes d'abord. À force d'expérience, ils peuvent saisir des émotions, des éclairs de vie, mais le dialogue demeure impossible.

Le téléphone cellulaire vibre comme un frelon en colère sur la table de métal. Une main fine s'en saisit.

– Oui.

– Nous avons localisé l'objectif, chef.

– Sûr ?

– Affirmatif. Il est en mouvement, on ne le lâche pas.

Le patron se tourne vers Mike, son plus fidèle lieutenant, d'un air impassible.

– On déclenche l'opération. Arrange-toi pour qu'il ne nous file pas entre les doigts.

Mike lance un coup d'œil incertain vers son boss. Quelque chose a changé chez lui... Et ça le rend plus terrifiant que jamais.

C'est la cinquième fois que Gregory regarde par la lunette arrière, crispé. Il gigote énormément sur le siège de la voiture et ça commence à m'agacer. Surtout qu'il ne répond pas à mes regards interrogateurs. Qu'est-ce qu'il a à se retourner tout le temps ?

– Ça va ? demandé-je finalement.

Gregory me fait un air qui veut clairement dire : « Pas maintenant ! »

– Laisse-le tranquille, il va s'en remettre, lance mon père.

Il regarde Gregory par le biais du rétroviseur.

– Moi, je trouve que votre quatrième place est tout à fait honorable, termine-t-il.

Le silence retombe dans la voiture. Kat est immobile à l'avant, Greg continue de regarder vers l'arrière de temps en temps. Mon père, sans doute sensible à l'atmosphère lourde qui règne dans l'habitacle, allume la radio: « Il y a de l'amour dans l'air, ça sent le printemps... Envoyez-nous vos demandes spéciales pour un midi *hot*, *hot*, *hot* ! » Soupir. Je ressasse encore et encore les mêmes questions, les mêmes inquiétudes dans mon esprit. J'ai l'impression d'essayer de comprendre le film de ma vie en n'examinant que son affiche publicitaire. La voiture s'arrête devant la maison. Nous sommes enfin arrivés ! Nous sortons le matériel du coffre. Mon père est resté au volant.

– Fais signe à ta mère que je l'attends, s'il te plaît.

Je n'ai pas besoin de m'en occuper. Elle nous ouvre la porte, m'embrasse sur la joue et trotte gaiement jusqu'à l'auto. Mes parents ont décidé de profiter de la température douce pour aller faire du ski. Je brûle de me retrouver seul avec Gregory et Kat. L'avant-midi a été une véritable torture pour nous trois. Peut-être moins pour Greg qui a vraiment, du moins pendant un moment, semblé s'amuser. Dès que la porte se referme derrière nous, je le fixe droit dans les yeux en ignorant l'accueil de Pénélope.

– Ton manège dans la voiture, ça n'avait rien à voir avec notre quatrième place, pas vrai ?

– Non, dit Gregory. En quittant la foire, j'ai reconnu un des hommes qui m'ont kidnappé. Je voulais voir si nous étions suivis.

Kat place ses mains devant sa bouche, horrifiée.

– Tu es sûr que c'était lui ? demande-t-elle dans un souffle.

– Presque à cent pour cent.

– Comment savaient-ils qu'on serait là ? ajouté-je.

– Je... J'avais un papier dans mes poches quand ils m'ont pris, fait Greg, embarrassé.

– Et est-ce qu'on a été suivis, finalement ? insisté-je, anxieux.

– Pendant un moment, j'ai pensé qu'on était corrects. Puis, une voiture beige n'arrêtait pas d'apparaître...

Gregory me regarde.

– Je pense qu'ils connaissent maintenant ton adresse, conclut-il gravement.

Cette fois, ça y est. Danny est transporté par une excitation animale. Ils l'ont eu ! Il attend, dansant d'un pied à l'autre, que son patron le laisse entrer dans son bureau. Mais maintenant qu'il sait exactement où le gars se trouve, il n'attendra pas longtemps. Comme de fait, la porte s'ouvre et Mike lui fait un signe de tête. Le chef pose des yeux inexpressifs sur Danny. Celui-ci s'avance d'un pas décidé et montre d'un index crasseux un lieu précis sur la carte étendue sur la table.

– Ils sont là. Tous les trois. Rue de la Lisière, deuxième maison à droite du parc. On ne peut pas la manquer, c'est la seule de la rue qui a une porte rouge. J'ai laissé deux hommes en surveillance.

Le chef l'a écouté sans broncher. Il tourne la tête vers Mike.

– On a combien en effectif ?

– Environ vingt-cinq qu'on peut mobiliser en moins d'une heure.

– Pas assez. Ce gars-là va en faire une bouchée. Je veux cinquante hommes dans une demi-heure.

Mike se gratte la tête, hésitant. Les yeux du patron se remplissent d'une couleur de flamme.

– Et Mike ? L'échec n'est pas une option. Compris ?

L'homme de main hoche sèchement la tête, mais Danny peut clairement voir qu'il est inquiet. C'est vrai que le boss lui fiche la trouille, à lui aussi. Danny est parcouru de petites décharges électriques désagréables en sa présence, comme si son esprit était palpé, tâté, exploré par les gros yeux vides...

✧ ✧
✧

J'ai l'impression que Kat va basculer la tête la première sur le plancher de béton du garage. Elle est penchée, les fesses sur le bout de la chaise, le visage entre les mains. Sa crinière désordonnée touche presque le sol. Elle se relève légèrement. On dirait qu'elle va encore pleurer.

– Tu crois que c'est parce que tu as tué l'un des leurs ? dit-elle d'une voix chevrotante.

– C'est évident ! lance Greg.

– Qui sont-ils ? ajouté-je. On ne sait rien sur eux !

Je fouille distraitement dans un bac de pièces électroniques. J'en saisis une, que je laisse aussitôt retomber avec les autres dans un tintement métallique. Pénélope ressent notre fébrilité et ne tient pas en place non plus. Elle ne cesse de me jeter des regards inquiets.

– Je n'arrête pas de suffoquer. C'est... c'est comme ça que je me sens toujours avant de changer de corps. Et j'ai des nausées.

– Tu as mal au cœur en ce moment ?

La voix de Kat est suraiguë, elle semble prête à craquer. Je lui pose la main sur l'épaule.

– Ne t'en fais pas pour moi. Tu sais de quoi je suis capable...

– On devrait appeler la police ! s'écrie Greg.

Visiblement, lui aussi, il est hystérique. J'essaie, pour ma part, de garder mon sang-froid autant que possible. Ce n'est pas facile avec cet étau qui comprime ma gorge. Mais ce n'est pas le moment de céder à la panique. La rage contenue en moi bouillonne, mais le couvercle est toujours fermé. Je saurai bien le soulever quand ce sera le moment. Je peux nous sauver tous les trois.

– Non, dis-je calmement. Personne n'appelle la police. Je peux gérer ça tout seul.

– On aurait dû en parler à ton père ! hurle Kat, toujours tendue comme une corde de violon.

– Pas question de mêler mes parents à ça ! C'est ma faute si on est dans ce pétrin. C'est moi, et moi seul, qui vais nous en sortir.

Greg est agité, il se balance d'avant en arrière, les bras repliés autour de son corps.

– Je n'aime pas ça, murmure-t-il. Je n'aime pas ça.

✧ ✧
✧

– Quarante-trois. Mais ce sont des gars fiables...

Mike voudrait que sa voix soit plus assurée, sauf qu'il y a trop de choses qui lui échappent, y compris l'attitude de son chef. Un frisson le parcourt. Il imagine ses yeux totalement dépourvus d'expression... Il est soulagé d'être sur la route et de ne lui parler qu'au téléphone. Surtout qu'il n'a pas atteint le nombre exigé...

– On va vivre avec ça. J'en veux huit au coin des rues de la Lisière et de la Traverse. Dix dans le parc, prêts à sauter la clôture pour entrer par la cour. Je veux des voitures postées aux intersections nord et sud des rues de la Lisière et du Parc, et dans la rue de la Traverse en *backup*. C'est compris ? demande la voix froide au bout du fil.

Mike est soulagé. Le chef a bien pris ça.

– Attendez mon signal avant de commencer l'opération. Que je n'en voie pas un qui bouge avant...

La menace sourde glace le sang de Mike. Et pourtant, il en a vu d'autres. Mais le ton est si malveillant, vibrant et... visqueux. Qu'ont-ils donc de si important, ces jeunes, pour que son boss se transforme si complètement ? Que représentent-ils à ses yeux ?

✧ ✧
✧

Kat est postée devant la fenêtre du salon. Elle observe anxieusement la rue. Greg est resté dans le garage. Il geint et se plaint. J'ai essayé de le calmer, mais on dirait qu'il est dans son petit univers imaginaire et refuse d'en sortir. Je suis assis sur le divan. Je flatte Pénélope distraitement. L'attente... Le sentiment de fatalité et de résignation qui m'habite avant de quitter un corps... Non, pas cette fois. Ça n'arrivera pas. Je veux rester, ne pas céder de terrain et les détruire tous, s'il le faut. Je vais me battre et cesser de fuir. Enfin, j'ai ce qu'il faut pour ça. Mais l'inaction et le stress avant l'affrontement sont difficilement supportables. Je vais vérifier l'état de Greg. Il est en train de composer un numéro sur le cadran du téléphone.

– Qu'est-ce que tu fais ?

– J'appelle la police ! Il faut que je fasse quelque chose pour essayer de nous sauver ! gémit-il, le visage mouillé de larmes.

Je prends doucement le combiné des mains de mon ami.

– C'est un cauchemar, marmonne Kat du salon. Tout ça n'est qu'un horrible mauvais rêve. Je vais me réveiller, je vais me réveiller.

Elle laisse subitement échapper un couinement de terreur.

– Ils sont là ! hurle-t-elle. Je les vois dans une voiture !

Pénélope aboie. Kat éclate en sanglots. Greg est recroquevillé et se balance sur sa chaise dans l'atelier. Je suis certain que les hommes en ont après moi et que Kat et Greg n'ont été que des moyens de m'atteindre... Peut-être, après tout, qu'ils feraient mieux de s'en aller tous les deux. Je vais voir ce que Kat a remarqué. Une automobile pleine d'hommes aux airs de tueurs, stationnée juste devant la maison. Ils ne sont même pas discrets...

– C'est moi qu'ils veulent. Je vais les affronter seul. Vous devez partir.

– On ne peut pas faire ça ! s'exclame Kat.

– Si, vous le pouvez. Sortez par derrière, Greg connaît le raccourci.

Greg se rend lui aussi à la fenêtre et fixe le véhicule. Puis, il tire les rideaux. Il inspire profondément et se redresse.

– On va peut-être partir, mais, avant, tu as besoin de moi, déclare-t-il, empli d'une grande détermination.

✧ ✧
✧

– Ils savent que nous sommes là, annonce la voix de Danny, dans son cellulaire. Ils viennent de tirer les rideaux.

– Tout le monde est en position ? demande Mike.

Des « Ouais » durs lui répondent de toutes ses unités. Ça y est. Il appelle le chef.

– C'est le moment, boss. Je confirme qu'ils sont seuls, tous les trois à l'intérieur de la maison.

✧ ✧
✧

– Fermez tous les rideaux, sans exception. Il ne faut pas qu'ils puissent voir à l'intérieur de la maison. Et cherchez de quoi barricader les fenêtres du rez-de-chaussée.

Greg est métamorphosé. Je ne peux m'empêcher de l'admirer, alors qu'il nous lance des directives à la manière d'un général.

– Ton père, commence-t-il à mon intention, tu ne m'as pas déjà dit qu'il avait une carabine ?

Des images m'apparaissent. Une boîte verte en long, dans le haut de la garde-robe de mes parents.

– Je vais la chercher.

✧ ✧
✧

Thérèse est le genre de voisine à observer ce qui se passe chez les voisins. Du matin au soir, elle se poste à la fenêtre avec d'éternels bigoudis sur la tête, comme s'ils faisaient partie de sa chevelure. Mais ce qu'elle voit aujourd'hui l'intrigue. Il y a des hommes étranges dans la rue, partout où elle regarde. Un d'entre eux l'aperçoit et lui fait un sourire qu'elle n'aime pas du tout. Elle tire les rideaux.

✧ ✧
✧

Greg est excité. Il a toujours rêvé de guerres et de combats. Toute la peur qui le tétanisait il y a seulement quelques minutes a disparu. Il sent l'adrénaline qui lui coule dans les veines. Ce qui se prépare, c'est bien mieux qu'une bataille de robots ! Il fait le tour des pièces, satisfait de notre travail.

– Le buffet est prêt à être tiré pour les ralentir à la porte-fenêtre, c'est parfait. La porte d'entrée est en acier. Ils n'entreront pas par là.

– Ils pourraient crocheter la serrure, hasardé-je.

– Tu as raison. Mieux vaut être prudents. Aide-moi à apporter l'armoire à côté.

Je m'exécute et suis mon ami un peu partout, Pénélope sur les talons. Nous descendons au sous-sol. L'expression de Gregory se durcit.

– Qu'est-ce qu'il y a ? demandé-je.

– Je pensais que les fenêtres du sous-sol avaient des barreaux, comme chez moi... Il faut tout barricader !

Je vais chercher des planches que nous clouons en place devant chaque fenêtre. Le sous-sol est maintenant sombre, seuls quelques filets de lumière y pénètrent par les espaces laissés entre chaque planche. J'imagine la surprise de mes parents s'ils arrivaient pour constater que nous avons condamné toutes les fenêtres...

– Si jamais ils réussissent à entrer quand même, tu ne perds pas de temps, tu montes au grenier. La carabine y est déjà ? poursuit Greg.

– Oui.

– Il n'y a pas de fenêtres au grenier. Le seul point d'accès est l'échelle. Ce sera plus facile pour toi, parce que tu pourras les affronter un par un.

Je pense à ce qui m'attend et je ressens un mélange de peur et d'excitation. La carabine... Affronter les hommes un par un... Cette fois, je reste !

✧ ✧
✧

– On attend le signal, boss, tente Mike, incertain.

Il ne sait pas pourquoi c'est si long. Les gars sont tendus, nerveux. Mike sait qu'une trop longue pause avant d'attaquer va les épuiser, les faire douter.

– C'est ça. Attendez, répond froidement le chef.

✧ ✧
✧

L'enthousiasme de Greg est contagieux et, maintenant que les préparatifs sont terminés, nous sommes fiers du résultat. Greg dessine un schéma rapide du quartier sur une feuille de papier.

– Maintenant, Kat, voici le plan de fuite que je propose.

- 17 -

L'horreur est à ma porte

Pour la première fois depuis longtemps, la Pouponnière-Mère est rassurée. L'Erreur a été localisée. L'être contraire qu'elle a créé pour la détruire est sur le point d'accomplir sa mission.

Bientôt, l'Exéité va pouvoir recommencer à faire ce qu'elle a toujours fait. Elle va se remettre à croître et poursuivre son objectif premier: dominer d'autres Exéités.

Ce n'est pas une bonne idée... Sofia le sait, pourtant, comme avec toutes les pulsions qui l'animent ces temps-ci, elle fait fi de son bon sens et agit par instinct. Ce n'est pas le moment d'y penser, le temps presse. Mais retourner dans l'Exéité avec quelqu'un près d'elle... Le professeur n'est plus là et Thomas est bien différent de lui. Quoique... l'est-il vraiment ? La jeune fille se le demande. Elle se souvient de certaines de ses réactions qu'elle n'a pas aimées... Ses expressions de colère et de frustration. Et ensuite, ce baiser charnel et puissant, cet échange si fort en émotions, cette tendresse et cette sauvagerie en même temps... Thomas... Elle est prête à tout lui pardonner ! Il n'est pas comme le professeur. Loin de là. Charmant, troublé, certes, mais combien attachant et sincère. Impossible que ça ne se passe pas bien. Il l'aime ! Et elle a entièrement confiance en lui.

Le problème, c'est qu'elle s'inquiète pour lui. Si l'éclair se produisait de nouveau, même avec Thomas à l'abri dans le monde physique, serait-il réellement protégé de ses effets dévastateurs ? Ou est-ce qu'elle le retrouverait étendu sur le sol, inerte, à son retour de l'autre univers ? Sofia ne peut s'empêcher de frissonner. Elle ne sait pas ce qui va se passer si elle s'unit enfin à son frère. Et sa mère qui s'est évanouie la dernière fois ? Sa mère... Sofia a filé en douce ce matin pendant qu'elle était dans la douche, en lui laissant un mot sur la table. Elle ne doit pas être ravie.

L'adolescente se concentre sur le moment présent. Elle doit se dépêcher. Ce n'est pas encore tout à fait le moment, mais bientôt, très bientôt, elle devra rejoindre l'Exéité... Tout va si mal depuis quelque temps, chaque initiative qu'elle prend semble vouée à l'échec. La loi de la moyenne devrait finir par lui permettre de réussir quelque chose, non ?

– Merde ! La pièce est trop lourde.

Thomas a ramené un certain nombre d'instruments de l'université. Un électroencéphalogramme portatif, un appareil pour mesurer son pouls, un thermomètre électronique et une balance.

– Le reste est en place, mais la pièce fait un gramme de trop, dit-il, les yeux fixés sur la balance. Ce ne sera pas long.

Sofia attend, perdue dans ses pensées. Thomas semble vif, tous ses sens en éveil, prêt à passer à l'action. Il est positif et elle sait qu'il l'appuie dans sa quête. Enfin ! Quelqu'un qui peut l'aider...

Tandis qu'il s'affaire à limer la pièce, Thomas repense aux recherches qu'il a effectuées. Le poids de l'âme. Comment Jeffrey a-t-il pu passer à côté de ça ? L'homme était un archéologue sans expérience médicale... Thomas se dit que c'est le destin. C'est lui qui devait faire cette découverte, pas le professeur. Le jeune homme est obsédé. Il faut que ça fonctionne. Il fait cela pour Sofia, mais il doit réussir aussi pour lui-même. Pour enfin prouver à son père que la curiosité mène à de grandes choses, pour montrer à ses amis, à ses pairs, au monde entier qu'il est un grand chercheur. Reprendre le flambeau là où Jeffrey l'avait laissé. Et découvrir ce monde fantastique et encore inaccessible...

Non, c'est plus que ça. Quelque chose de fort et de froid comme de l'acier trempé le pousse à agir. Une volonté qu'il fait sienne, mais qui ne provient pas tout à fait de lui. Jamais il n'a eu cette détermination. Il doit poursuivre. Et Sofia, dans tout ça ? Ses sentiments à son égard sont difficiles à définir... Son regard tombe sur elle et il est transporté par une émotion pure, belle et sincère. Serait-il amoureux de la jeune fille ? Quelle est cette soif qui l'anime, qui semble diriger ses mouvements, qui l'a même jeté dans les bras de Sofia la nuit précédente ? Il n'a pas su résister, emporté par la vague de désir animal qui s'est emparée de lui. Ça non plus, ça ne venait pas de lui. Il devrait être terrifié, mais il ressent au contraire une excitation incroyable. Peut-être est-il grisé de ne pas être complètement en contrôle de lui-même ? De faire des choses interdites et potentiellement dangereuses, mais de pouvoir se déculpabiliser en soutenant que ce n'est pas sa faute ? Que quelque chose l'a poussé à agir ainsi ?... Sofia, belle Sofia, encore si naïve et virginale...

✧ ✧
✧

Les rideaux sont tirés devant la fenêtre. Kat en soulève un coin minuscule pour observer discrètement les environs. Le ciel est nuageux, morne et sans vie. En attente de quelque chose...

– OK, *go* ! crie Gregory, ramenant brusquement la jeune fille à la réalité de la tâche à accomplir.

Kat ouvre la porte d'entrée et sort en coup de vent. Grincement de ses espadrilles sur le béton du balcon. L'air encore froid lui mord le visage. Les marches, puis le stationnement apparaissent devant elle. Et la voiture beige est stationnée au coin de la rue. Kat y jette un coup d'œil rapide. Elle sent la puissance et l'agressivité des hommes s'en dégager. Le reste de la rue semble désert. Étrange pour un dimanche après-midi. La météo retient sans doute les gens chez eux. À moins que ce soit autre chose ? Les rideaux sont tirés chez la voisine. Des pans de velours, lourds et chargés. Obstinément clos. On dirait que la rue est en attente de l'affrontement, comme dans les westerns à la veille d'un duel.

En trois pas, Kat descend les marches et l'allée pour se retrouver sur le trottoir. Elle sent des regards mauvais, fixés sur elle. Mais tout s'est enchaîné en l'espace de quelques secondes et les hommes n'ont pas encore eu le temps de réagir. La réalité semble se dérouler au ralenti. L'adolescente sait que, très bientôt, la surprise va métamorphoser leur visage. Ils vont se ruer à sa poursuite. Pourvu qu'elle ait le temps de se rendre là où elle veut aller ! Pourvu que le plan de Gregory fonctionne... Elle file comme un lapin vers sa droite, s'éloignant à toute vitesse de la voiture et de la maison de Justin. Ses pas martèlent le trottoir d'un bruit sec, son cœur bat à toute allure. Inspiration. Elle n'a pas une longue distance à franchir. Elle sait que le parc est juste à côté. Dans deux maisons, elle y sera.

Danny l'a vue sortir. Les muscles crispés par l'attente, ça lui a pris un temps pour se ressaisir. Il s'en veut. Ses réflexes sont plus rapides que ça, d'habitude. Mais rien n'est normal, depuis quelques semaines. Tout le surprend, il n'arrive pas à anticiper les événements, il se sent dépassé. Il a peur pour sa vie et pour celle des gars sous sa responsabilité. Il se croit prêt, et pourtant, il aimerait être plus confiant. Il ne l'a pas avoué, évidemment, mais les images de la ruelle le hantent. Elles occupent son esprit en permanence. Il n'arrive pas à comprendre... La puissance du garçon est énorme, Danny ne sait même pas la décrire, sinon qu'il n'a jamais senti ça auparavant. Même si c'était très différent, il garde aussi un *feeling* désagréable ce qu'il a vécu dans le bureau du patron, un peu plus tôt. Une chose, un nuage planait qui semblait terrifier l'homme. Ça aussi, c'était fort. Deux forces immenses sont en jeu et nous ne sommes que des pions, songe-t-il dans un éclair de lucidité. Danny n'aime pas être un pion. Les pions, ça s'écrase, c'est de la chair à canon. Il se secoue pour se débarrasser du picotement qui lui parcourt les épaules.

– On fait quoi, là ?

C'est Phil, le plus nouveau et le plus con de ses hommes, qui a parlé d'une voix incertaine. Les autres n'ont pas bougé. Danny voit Kat qui s'éloigne rapidement. Il saisit son téléphone et compose le numéro préenregistré.

– La fille vient de sortir ! s'exclame-t-il, dès que ça décroche à l'autre bout du fil.

– Suivez-la, ordonne la voix glaciale.

On dirait que ça prend une éternité à Kat pour longer la deuxième maison. Enfin, elle se retrouve devant le parc. Elle distingue du mouvement au fond, à sa droite, mais ce n'est pas là qu'elle se dirige. Non, le plan est clair et elle va le suivre à la lettre. La jeune fille ne court plus sur le béton, mais sur le sentier spongieux de paillis, en pénétrant plus profondément dans le boisé. La sécurité des arbres, même dépourvus de feuilles, la soulage. Le pire est fait. Maintenant, trouver la haie dont Greg lui a parlé. Vite !

✧ ✧
✧

Greg se faufile en douce par la porte-fenêtre. Il escalade la clôture de gauche et passe par la cour du voisin. Il se glisse sous les arbres, se plaque sur le côté de la maison. Le souffle rapide, il se terre derrière les bacs à ordures, le long du mur du garage. Il aperçoit la rue de la Traverse, directement en face de lui. Il a vu les hommes passer en vitesse, à la poursuite de Kat. C'est le moment d'entrer dans la seconde phase de son plan.

Il se met à courir aussi vite qu'il le peut, franchit la rue comme un éclair et remonte sur le trottoir de l'autre côté. Maintenant, c'est tout droit pendant quatre maisons... Le garçon sent la traction exercée par son pied avant pour propulser son corps toujours plus loin, encore et encore. Il a la sensation de voler à chaque pas, le vent siffle à ses oreilles, l'air se déplace sur son chemin et se referme derrière lui en volutes invisibles. C'est trop long, il devrait déjà être à couvert. Quelle étrange contradiction ! Le temps s'étire, le moment est interminable, il est vulnérable, mais il va si vite... Enfin, voilà la quatrième maison !

✧ ✧
✧

Alors que Danny court vers le parc, il entend un de ses hommes crier. Il se retourne et aperçoit le morveux qu'ils avaient kidnappé disparaître derrière la rangée de maisons de la rue de la Traverse. Non ! Lui aussi ?

– L'autre gars vient de partir par l'arrière ! hurle-t-il au téléphone qu'il n'a pas raccroché.

Il n'est pas question qu'il perde de vue ces deux-là... Et surtout pas la fille. Le jeune Gregory, il n'en a rien à foutre, mais la fille est à lui. Plus d'interrogation, plus d'inquiétude. Il est dans l'action, irrigué par l'adrénaline qui lui électrise le corps.

– Envoie quatre hommes, pas plus, répond le chef. La cible est toujours à l'intérieur ?

– Affirmatif.

– Tous les autres restent à leur poste.

Enfin, voilà la haie. Kat se précipite tête première sous d'énormes cèdres qui bordent la demeure située à l'extrémité du parc. Greg avait raison, c'est une cachette extraordinaire. Humide, mais dense comme une hutte de paille... Les sens aux aguets, la jeune fille tente de rester aussi immobile et silencieuse que possible. Elle jette un regard discret dans la direction d'où elle est venue. Rien. Elle doit attendre.

✧ ✧
✧

Greg fait un virage à quatre-vingt-dix degrés et entre dans la cour d'une maison. Il contourne l'aire de jeux pour enfants, salie par les rigueurs de l'hiver, attendant patiemment le retour du temps chaud. L'adolescent se glisse derrière un cabanon, passe sous la clôture qui est légèrement relevée dans le coin... Ça fait longtemps qu'il ne s'y est pas faufilé et il constate qu'il n'est plus aussi élancé et frêle que la dernière fois. Il doit faire des efforts, se tirer de toutes ses forces à l'aide des racines qu'il saisit à pleines mains. Son manteau accroche, il ne peut pas rester coincé ! Il se tortille un instant qui lui paraît interminable, son manteau résiste, il pousse, recule, avance de nouveau... et réussit finalement à traverser. Il bondit sur ses pieds et sprinte vers son objectif final, le cabanon vert de monsieur Deschamps. Déverrouillé, comme avant. Greg observe autour de lui. Silence. Il entre et ferme doucement la porte, poussant un immense soupir de soulagement. Hésitant, entouré d'objets hétéroclites et les narines envahies d'une forte odeur de bois, il colle son visage à la fenêtre, imaginant déjà une horde de malfaiteurs qui avance vers son repaire. Il n'y a personne.

✧ ✧
✧

Je tourne en rond dans la maison, anxieux. Je n'aurais pas dû les laisser partir ! Mais c'était plus sûr de savoir qu'ils seraient loin quand la fin viendrait. Qu'ils ne risqueraient pas d'être blessés par l'éclair que je vais déclencher. Ou tués. Cette perspective me glace le sang. Non, mes amis sont en sécurité. Il ne peut rien leur arriver. Ils ont réussi à s'échapper. Mais si les hommes les attrapaient ? Greg connaît ce quartier mieux que personne. Je ne suis pas inquiet pour lui. Mais Kat ? Je n'ose pas l'imaginer, tombée entre les mains de ces brutes... Non, Kat va s'en sortir, elle aussi. Il le faut ! Je suis seul avec moi-même. Peu importe la tournure des événements, peu importe si je suis projeté dans un autre corps ou si je parviens à tous les détruire, il n'y a que moi. Et Pénélope, qui choisit cet instant pour se rappeler à mon souvenir en frôlant ma jambe.

✧ ✧
✧

Kat sent la terre humide sous son poids. La neige mouillée entre dans ses vêtements alors qu'elle est allongée à plat ventre sous la haie. Même sensation que dans la ruelle, lorsqu'on l'a immobilisée au sol.

Sa respiration s'emballe. Elle ferme les yeux. Pas maintenant. Ses émotions doivent rester embouteillées encore un peu. Sauf que Kat ne parvient pas à retenir le trop-plein. Comme au café après l'incendie, elle revoit des images de ses parents, morts dans la voiture. Des images qu'elle a refoulées au plus profond d'elle-même toutes ces années, mais qui choisissent ce moment pour lui revenir. La douleur, immense, insupportable. L'incompréhension devant le silence de ses parents, leur parfaite indifférence à ses pleurs d'enfant terrifiée. Les mouvements, les cris, les bruits, l'odeur d'essence. Puis, plus rien que son chagrin, quitter la maison qui l'avait vue naître et se retrouver avec sa tante qu'elle connaissait à peine et qui lui faisait peur. C'est là que Kat a commencé à voyager dans le monde des morts. Elle voulait plus que tout retrouver ses parents... Elle n'y est jamais parvenue. Kat inspire profondément. Ce n'est pas le temps de perdre le contrôle. Elle se détend, revient à la réalité de sa situation. L'odeur des feuilles en décomposition, celle, très forte, des cèdres sous lesquels elle se tapit... Un froissement léger, le vent dans les branches. Et une main forte qui lui saisit la jambe.

– Je l'ai ! s'exclame une voix dure.

Kat hurle, tous ses muscles se contractent, elle donne un violent coup de pied, rampe comme un serpent sous la haie, entre les troncs rêches et les branches qui lui égratignent le visage. Elle émerge du côté opposé, coincée entre les cèdres et la clôture.

Elle distingue trois silhouettes à travers les branches. Vite, vite, elle avance péniblement, déplace les arbustes alors que ses poursuivants sont accroupis pour tenter de la localiser, et débouche sur le trottoir. Elle détale devant les hommes, surpris, qui se lancent à sa poursuite. Ça doit être ici, elle se souvient de la carte tracée à la hâte par Greg. Le cabanon est là, derrière. À moins que ce soit dans l'autre cour ? Elle n'a pas le temps de se pencher plus longtemps sur la question. Il lui faut trouver une cachette au plus vite. Elle ouvre la porte et entre dans la maisonnette de bois. Greg saute presque jusqu'au plafond en criant.

– Qu'est-ce que tu fais ici ? lui demande-t-il après s'être remis de sa surprise.

– Ils sont partout !

– Ils t'ont suivie ? s'inquiète Greg.

Kat n'a pas réfléchi en venant le rejoindre. Dans sa panique, elle s'est précipitée vers le refuge de l'adolescent, traquée par des hommes enragés. Elle a probablement révélé leur position. À moins d'un miracle... Greg regarde par la fenêtre et voit du mouvement.

– Il faut partir d'ici ! hurle-t-il en s'élançant d'un coup hors de leur abri.

La frustration a de nouveau submergé Danny quand elle lui a glissé entre les doigts. Il lui avait mis la main dessus, pourtant, mais son coup de pied violent l'a déstabilisé. Encore un geste qu'il n'avait pas anticipé. Il s'est lancé à sa poursuite. Plus rien ne compte maintenant pour lui que de l'attraper. Il la veut. Il la hait. Il la désire. Et cette fois, il la tient. L'homme sait dans quelle cour elle est entrée et il fixe le cabanon en s'en approchant lentement. La porte ne semble pas verrouillée. Elle vacille légèrement. C'est là qu'elle se cache. Cette certitude le remplit d'un sentiment de satisfaction immense. Il savoure à l'avance le plaisir qu'il aura à enfin l'avoir en son pouvoir, il va s'abreuver de sa panique de petit oiseau effrayé, il va se réjouir de sa douleur... La porte du cabanon s'ouvre à la volée et ce n'est pas la fille, mais le garçon qui s'en échappe à la course. Danny ne s'attendait pas à ça. L'adolescente surgit à son tour, deux pas derrière l'autre. Oh non, elle ne lui fera pas encore le coup ! Danny se remet à courir, mais ils sont rapides, plus qu'il ne l'aurait cru. Et il est étonné de constater que les deux jeunes se dirigent à nouveau vers la maison de briques à la porte rouge.

✧ ✧
✧

L'attente est insupportable. Vont-ils se décider à attaquer ? Le silence m'oppresse. Je réprime difficilement le désir de sortir, de me placer au milieu de la rue et de leur dire de venir me prendre s'ils l'osent. La stratégie de Greg est sûrement la meilleure. Un après l'autre. Pourquoi est-ce que je me retrouve toujours fourré dans ce genre d'histoire ? Pourquoi mes vies ne sont-elles que violence et agressions ? Je suis pourtant tombé sur un corps tranquille, dans un quartier paisible, entouré d'une famille aimante... Et malgré tout, je suis encore et toujours au même stade, à devoir me battre pour ma vie. Ou plutôt non. C'est la première fois que je peux me battre. C'est la première fois que je me tiens debout et que je ne cherche pas à fuir, comme je l'ai toujours fait. Cette pensée me rend plus déterminé, malgré les nausées qui vont et viennent. Je ne partirai pas. Je veux rester pour Kat avec qui j'ai un lien si particulier. Elle est lumineuse et forte, malgré tous les malheurs qui s'abattent sur elle sans relâche et je l'admire pour ça. Je pourrais tomber amoureux d'elle, si les circonstances étaient différentes... Je veux rester pour Greg aussi, malgré son inconstance, malgré ses sautes d'humeur et ses crises bizarres, malgré qu'il ait mis le feu au café. Il est fidèle et terrifiant à sa façon, avec ses stratégies. Je veux rester pour mes parents, je tiens à eux, je les aime, je les ai choisis, ce sont les parents que je veux ! Enfin, j'ai trouvé tout ce qu'il me faut pour être heureux. Sans oublier Pénélope, ma fidèle compagne... Je ne veux pas la laisser non plus. Je la flatte doucement.

J'entends des cris à l'extérieur. Je m'approche prudemment de la fenêtre du salon et je soulève le rideau pour jeter un coup d'œil à la rue. Les malfaiteurs courent d'un côté et de l'autre, se crient des directives. Ça semble assez chaotique. Que se passe-t-il ? Que sont-ils donc en train de faire ? *Bang ! Bang ! Bang !* Je me retourne d'un bloc. La porte arrière. Je me précipite pour aller voir. Pénélope, arrivée avant moi, jappe bruyamment. Je vois mes deux amis, leur visage angoissé écrasé contre la vitre. Puis, ils se retournent anxieusement vers la cour.

– Ouvre ! Ouvre ! me crie Greg à travers la paroi de verre.

Je m'apprête à déplacer le buffet.

– Pas le temps pour ça ! Débarre vite ! crie Kat, hystérique.

Je m'étire de tout mon long sur le meuble et déverrouille la porte. Je suis emporté par deux avalanches qui déboulent sur le buffet et me renversent par terre.

– J'ai barré ! Vite au grenier ! s'exclame Greg après avoir refermé derrière lui.

Je ne comprends pas pourquoi mes amis sont dans un tel état d'agitation. Quelque chose a dû mal se passer dans leur fuite puisque les revoilà dans la maison avec moi ! En plus, considérant la vitesse à laquelle ils sont entrés malgré le meuble qui les entravait, je constate que celui-ci est parfaitement inutile. Si les hommes décident d'attaquer, il ne les ralentira même pas. C'est un échec lamentable sur toute la ligne. Un bruit sourd me fait sursauter. Kat et Greg sont déjà à mi-chemin vers le deuxième étage et je suis là, les fesses sur le sol, face à face avec les quatre hommes les plus laids que j'ai jamais vus de ma vie. Ils sont juste derrière la mince vitre qui nous sépare, grimaçants, menaçants. Ils soufflent comme des taureaux en furie... C'est un gars comme ceux-là que j'ai tué ? Je ne me souvenais pas qu'ils étaient si gros...

– Qu'est-ce que tu fous, merde ? Tu veux qu'ils t'attrapent ? me lance Greg de l'escalier.

Je me relève et je recule lentement, très lentement, comme si un seul mouvement brusque de ma part pouvait déclencher l'invasion. Je constate avec horreur que la cour est pleine d'hommes, il y en a au moins vingt et d'autres encore qui escaladent la clôture. Pas possible... Ils sont trente, peut-être plus. Qu'est-ce que je vais bien pouvoir faire contre ces brutes enragées ? D'un coup, je me retourne et je rejoins mes amis au deuxième.

– Les trois jeunes sont dans la maison, annonce Danny, hors d'haleine, par téléphone au boss. Mike doit venir se poster en avant avec ses gars pour les empêcher de sortir par là. On est une gang dans la cour. Chef, les gars savent ce qui est arrivé à Will...

– Et alors ? demande la voix froidement.

– Ils ont peur. Ils ne veulent pas y aller. Ils vont le faire, ils vont obéir, mais...

Le ciel s'obscurcit brusquement. Si brusquement que les hommes lèvent la tête pour voir ce qui provoque cette ombre soudaine. C'est quelque chose qu'ils n'ont encore jamais vu, sauf Danny, dans le bureau du patron. Un nuage s'approche, orange, liquide, immense. Il recouvre l'air et l'engloutit. Certains gars qui étaient près des clôtures se mettent à les enjamber en panique pour fuir devant cette monstruosité qui avance vers eux. D'autres restent immobiles, hypnotisés. Danny se rappelle la première fois qu'il a été témoin du phénomène. L'air qui se charge de cette électricité couleur de feu. La malveillance, la puissance, la domination. Il est fasciné de constater que ça vient vers lui. Il est effrayé, mais il va enfin savoir... Il est enveloppé d'orangé... D'un coup, l'angoisse, les doutes, la mort, tout ça disparaît de son esprit. Autour de lui, l'environnement devient flou. Une rage froide, inconnue, plus puissante que ce qu'il a pu ressentir auparavant monte en lui.

– On entre, s'entend-il dire d'une voix désarticulée.

Sauf que ce n'est pas lui qui a parlé. Ça venait de sa bouche, mais il n'a rien formulé dans son esprit. Il est envahi par la haine, elle prend toute la place, il se fait tout petit dans un coin de sa tête. Comme quand il était jeune et qu'il se cachait en espérant que sa mère ne le trouverait pas.

Les hommes se sont tous mis en mouvement vers la porte d'un pas mécanique, même ceux qui tentaient de fuir il y a un instant. Danny voit son poing s'écraser contre la vitre. À la force de l'impact, il devrait avoir mal. Mais il ne ressent rien d'autre que la nécessité d'avancer. Avancer. Toujours avancer. Il frappe à nouveau. La vitre se fragmente avec un bruit qui lui parvient de très loin...

✧ ✧
✧

– Je dois y aller maintenant ! crie Sofia, subitement hystérique.

Thomas est en train de peser la pièce. La limer a été plus long que prévu. Mais ça y est, elle fait exactement vingt et un grammes.

– Voilà, voilà, j'arrive...

– Non ! Tu ne comprends pas ! Il est en danger !

Thomas ne sait pas ce que voit Sofia. Mais il est fébrile, lui aussi. Depuis quelques minutes, son anxiété est montée en flèche. La jeune fille tremble, sursaute, s'agite désespérément. Il se demande comment elle va parvenir à atteindre le niveau de détente dont elle a besoin pour entrer en transe... Rapidement, il lui installe le casque de l'électroencéphalogramme sur la tête.

✧ ✧
✧

Au moment où j'arrive enfin au grenier, le cœur battant, j'entends la vitre de la porte arrière qui se fracasse. Ça y est, ils sont dans la maison. Gregory est en train de remonter l'échelle.

– Viiiite ! hurle Kat.

Un jappement.

– Pénélope est restée en bas ! m'exclamé-je.

– C'est trop tard ! crie Greg.

– Pas question que je la laisse là, dis-je d'un ton sans réplique en redescendant l'échelle.

Je saute et j'atterris brutalement sur le plancher. Je saisis Pénélope dans mes bras et je commence à la faire monter, trop lentement, échelon après échelon, en direction du grenier. À mi-chemin, je m'arrête. Il y a quelqu'un, quelque chose derrière moi. Je jette un œil par-dessus mon épaule. Personne. Mais des filaments orangés lèchent les marches et la rampe d'escalier. Ça vient d'en bas. Je ne sais pas trop ce que c'est, mais, cette fois, j'ai vraiment peur. C'est puissant. Je n'ai pas eu à affronter ça, dans la ruelle... Je me sens comme dans ce rêve que j'ai fait avec la pieuvre géante...

– Tu viens ? s'énerve Greg.

Je me remets à grimper. Mon ami saisit la chienne par le collier et la hisse sur le plancher du grenier.

Pénélope glapit de désagrément. Je monte et je tire l'échelle vers moi, aussi vite que possible. Il n'y a toujours personne à l'étage, mais la menace progresse lentement. Je ferme la trappe et nous faisons glisser une étagère dessus. Puis, d'instinct, nous reculons nous appuyer contre le mur opposé, terrifiés. Mon cœur bat la chamade. En posant la main sur le sol, je tombe sur quelque chose de froid et de dur. La carabine ! Je l'avais oubliée. Les munitions sont juste à côté. Tremblant, je tente de la charger. Mon père m'a déjà montré comment faire, une fois, quand j'étais Justin. Je ferme les yeux et laisse faire mes mains. Un déclic. J'ai réussi.

Kat serre contre sa poitrine le téléphone qu'elle a ramassé en montant. Elle tente de composer le 9-1-1, mais ses doigts tremblent tellement qu'elle n'y arrive pas. Greg prend l'appareil et signale.

– Au secours ! Des intrus nous attaquent au...

Il fixe le combiné, médusé.

– Quoi ? Qu'est-ce qu'il y a ? demandé-je.

Je vois le sang se retirer du visage de mon ami. Il devient livide.

– Ç'a coupé, la pile est morte...

✧ ✧
✧

Thérèse a entendu un bruit louche. Elle n'arrive pas à l'identifier, mais ça mérite assurément qu'elle aille voir ce qui se passe. Longeant le mur de son salon, elle regarde dehors par la fente entre le rideau et le bord de la fenêtre. Elle n'en revient pas. L'air à l'extérieur a pris une étrange couleur orangée, comme si elle le voyait à travers des lunettes de soleil. La femme se frotte les yeux et reprend son observation, mais la couleur visqueuse est toujours là. Et il doit y avoir au moins douze hommes à l'air plus que suspect sur le porche de la maison d'en face. La porte rouge s'ouvre et les individus se glissent tous à l'intérieur. Non, ce n'est décidément pas normal. Thérèse n'aime pas se mêler des affaires des autres. Pas activement, en tout cas. Mais elle n'a pas le choix. Elle doit avertir la police.

✧ ✧
✧

Considérant le vacarme dans la maison, je dirais que tous les hommes que j'ai vus dehors l'occupent en ce moment même. Des pas s'approchent. Ils sont juste en dessous de nous. Je les entends aussi fracasser des choses, briser de la vitre. Ils sont en train de tout démolir ! Je suis furieux, mais pas comme je le voudrais. Ma colère ne bouillonne pas, ne demande pas à exploser et à annihiler tout sur son passage. Elle voudrait le faire, mais quelque chose l'en empêche. J'espère que tout va se dérouler comme prévu... Je n'ai pas parlé à mes amis de cette masse orange que j'ai vue rôder à l'étage. Ils n'ont pas besoin d'être plus terrifiés...

Pénélope tourne en rond, ses griffes frottent légèrement sur le plancher. Pas de bruit ! Je l'arrête d'une main ferme. Kat a les yeux grands comme des pièces de deux dollars. Je ne sais même pas si elle sait encore où elle se trouve tellement elle a l'air perdue. Greg, à ma droite, se prend la tête entre les mains et se balance d'avant en arrière en marmonnant. Je ne saisis pas bien ce qu'il dit, mais c'est quelque chose du genre : « Ils vont tous nous tuer. » Ses balancements sont de plus en plus rapides et son dos frappe le mur à chaque recul avec un bruit sourd. Je l'immobilise. Nous nous regardons tous les trois. Je vois la mort dans les yeux de mes amis...

✧ ✧
✧

Sofia n'en peut plus. Elle va exploser.

– Donne-moi juste la pièce. Vite !

Thomas est en train de vérifier le fonctionnement de l'électroencéphalogramme. La jeune fille n'arrive pas à se calmer. Ce n'est pas vrai qu'elle va perdre son frère maintenant. Pas après toutes ces années à tenter de le retrouver ! Pas quand elle va pouvoir enfin lui parler ! Elle doit relaxer, mais comment y parvenir dans des conditions pareilles ? Elle a la gorge serrée, broyée par l'angoisse. Elle devrait être dans l'Exéité depuis longtemps déjà. Elle sent la tension qui la tire vers l'autre monde, elle reconnaît l'appel de son frère. Si ce n'était pas de Thomas et de sa pièce trop lourde... et de tous ces instruments qu'il tient absolument à brancher sur elle !

– Arrête, à la fin ! Je n'ai pas besoin de ça et tu m'empêches de me concentrer.

Thomas cesse son manège. Il a compris. Enfin, elle va pouvoir partir. Pourvu qu'il ne soit pas déjà trop tard !

✧ ✧
✧

Pénélope gronde, puis jappe. Je n'ai pas pu la retenir.

– Au grenier, fait une voix étrange.

La trappe se met à bouger. L'étagère qui se trouvait dessus tombe avec fracas. Et elle disparaît tout à coup, dans un bruit désarticulé, laissant place à une ouverture béante. Pas possible, ils ont réussi à arracher le panneau ! Kat pousse un cri. Greg recommence à se balancer, comme pour oublier qu'il est dans la pièce avec nous. Pénélope tourne en rond, aux aguets. Je soulève la carabine et je l'appuie sur mon genou. Je tremble trop. Je commence à avoir vraiment mal au cœur. Et ça n'a rien à voir avec l'odeur de poussière qui flotte dans l'air... Je cherche en moi cette force qui m'est venue lorsque j'ai sauvé Kat, mais elle n'y est pas. Un homme passe la tête dans la trappe. Ses yeux sont inexpressifs. Mais quand il me voit, il sourit. Un sourire absent, froid. Je vise sa tête qui reste là à nous fixer, une cible parfaite. J'ai le doigt sur la détente. Je suis prêt à tirer.

– Fais comme dans la ruelle ! Fais comme dans la ruelle !

C'est Kat, complètement hystérique, qui hurle. Je voudrais bien, mais je n'y arrive pas. La rage est là, mais elle est contenue. Si je pouvais seulement soulever le couvercle... Greg se balance toujours à une vitesse étourdissante, replié sur lui-même.

– Fichus ! Nous sommes fichus ! répète-t-il.

L'homme monte dans le grenier. Il semble voir la carabine que je tiens, mais il ne la craint pas. Il avance, lentement, les bras tendus vers nous. Son sourire sans vie s'élargit, effrayant. Un éclair blanc, un bruit de tonnerre. Le choc me fait perdre l'équilibre vers l'arrière. Mon dos va frapper le mur derrière moi. En tirant, j'ai presque échappé mon arme. La douille, petite étincelle métallique, monte dans les airs en tourbillonnant et retombe sur le sol avec un tintement... Je vois l'homme vaciller sous la force de l'impact, mais il ne grimace même pas. On dirait qu'il n'a rien senti ! Je l'ai atteint en plein cœur pourtant ! Il s'écroule par terre. Même mourant, incapable de se relever, il tente tout de même d'avancer vers nous. Il tend la main, mais celle-ci retombe, inerte.

✧ ✧
✧

La bouteille de bière vide éclate sur le plancher. Les tessons de verre volent dans toutes les directions. Sofia sursaute et se redresse, tentant de localiser la source du bruit. La pièce qu'elle avait sur le front vole dans les airs et atterrit sur le sol en tintant.

– Quoi ? s'écrie Sofia, bouleversée.

– C'est ma faute, fait Thomas, contrit. Je l'ai accrochée...

Sofia voit les fragments de verre sur le carrelage. Comment une simple bouteille a pu faire un bruit aussi fort en tombant ? Elle avait réussi à se calmer. Elle était presque prête. Puis, il y a eu cet impact et c'est comme si elle avait été frappée de plein fouet par un raz-de-marée.

– Merde ! Tu as échappé la pièce. Recouche-toi, je vais la retrouver.

Sofia obéit. Elle s'étend. Quel était ce bruit ? Elle replonge lentement dans l'inconscience. Elle sent le contact froid du métal que Thomas replace sur son front. Elle arrive...

✧ ✧
✧

– Ils sont armés, fait une voix en dessous.

– Je monte.

Danny arrive enfin dans la pièce. Il doit avancer. Avancer. Toujours avancer. Il voit la fille, mais il ne la regarde pas. Il voudrait se jeter sur elle, seulement ses muscles ne lui obéissent pas. Ses yeux sont fixés sur le garçon du milieu. D'un pas saccadé et lent, il marche vers les trois jeunes qui semblent terrifiés. C'est parfait. Bientôt, il les aura. Avancer, toujours avancer, malgré le danger. Il sait que des hommes le suivent. L'esprit embrumé, spectateur de sa propre destinée, il approche. Ils sont enfin à lui...

– Tire !

La fille... Un second éclair blanc. Le bruit, il l'entend à peine. Un choc qui le déstabilise. Il porte la main à son cou. Il l'examine : elle est rouge de sang. Malgré lui, il tombe à genoux. Il se relève. Avancer, il doit avancer. Il titube, se traîne vers les jeunes. Puis, il tombe face contre terre. D'autres hommes le piétinent lentement.

Mes deux amis se trouvent dans un état pitoyable et je ne suis pas beaucoup mieux qu'eux. Il y a une tension dans l'air, une énergie qui me révulse. Peut-être que c'est elle qui m'empêche de « faire comme dans la ruelle », comme dirait Kat. Mon esprit est engourdi. Nous sommes traqués, coincés dans une pièce sans issue. Un mur de chair humaine avance vers nous, menaçant et orangé. Ils doivent être au moins sept ou huit maintenant, marchant d'un même pas mécanique. On dirait des zombies. Pénélope se jette dans la mêlée en grognant. J'essaie tant bien que mal de recharger la carabine. La chienne ne semble même pas déranger nos attaquants. Jamais ils ne se détournent de leur objectif.

L'air est lourd, visqueux. Je trouve le moyen de frissonner. J'ai si mal au cœur... Je pourrais mettre fin à tout cela et partir. Aller ailleurs... Non, pas ça ! Je puise au plus profond de moi. Je cherche cette puissance qui doit me permettre de nous sauver tous. Je sais qu'elle est presque là. Je la sens... Mais elle n'est pas aussi forte que mes nausées. Ma tête tourne. Non ! Je ne veux pas changer de corps ! Pénélope glapit et s'écrase sur le sol, silencieuse. Je n'arrive pas à recharger la carabine. Ils sont trop près. Ils me fixent de leurs yeux sans vie. Mais que sont ces créatures ? Kat pousse un hurlement terrible. Un homme l'a saisie par la jambe. Elle lui donne des coups de pied, mais il les encaisse sans broncher. Elle tombe, sa tête frappe le plancher. *Je revois les adolescents de l'école me tirer hors de la cabine. Ma tête cogne contre la cuvette de la toilette.*

Danny a mis toute l'énergie qu'il lui restait à se traîner vers la fille. Il va l'avoir, même s'il se vide de son sang. Il l'a empoignée par la cheville, comme quand elle se trouvait sous la haie. Mais il ne lâchera pas prise cette fois, malgré les coups de pied. Il ne sent rien. Il sait que, bientôt, il n'aura plus de forces. Sa vue se brouille, déjà. Le noir l'attire, veut l'emporter. La pièce tourne autour de lui, les sons diminuent. Avancer... Danny sombre dans le néant.

Je prends le bras de Kat et je la tire vers moi. La chose ensanglantée qui l'a attrapée ne bouge plus, mais elle n'a pas desserré son étreinte. Kat agrippe mon avant-bras d'une main, tentant vainement de dégager son pied. Un individu se penche sur moi. Il veut me soulever, m'emporter. Je glisse dans sa direction et Kat essaie de me retenir. Instinctivement, j'accroche Greg. Je suis étourdi. Je ne peux pas les laisser. Mais je n'ai plus le contrôle. Les hommes sont sur nous. Je sens leur souffle, leur chaleur, cette énergie dégueulasse qui les habite. La prise de Kat faiblit. Je vais perdre connaissance... Il est trop tard... Des coups. *Mon nez qui explose de douleur, du sang partout. Je crache au visage de mon agresseur.* Des mains énormes qui m'empoignent. Greg ! Kat ! Je ne veux pas vous laisser. Je dois rester et me battre. *Le regard dénué de vie de ma victime qui tombe, n'en finit pas de tomber, son expression de surprise.* Ne pas fuir... Fuir... Fuir. Je suis déjà parti. Non ! La pièce est au-dessous de moi. Je flotte. Je vois Pénélope, étendue sur le sol. Les intrus qui affluent toujours dans le grenier, accompagnés de cette substance étrange qui occupe l'espace tout entier. Je ne sais plus qui je suis... Je monte, le toit, les arbres, le monde qui devient de plus en plus blanc et indistinct. Je suis libre...

✧ ✧
✧

L'Exéité vibre, tonne, résonne d'éclairs orangés. Sofia ne reconnaît plus son monde. Son Sykran est parcouru de spasmes. Sa force est étouffée dans les tourbillons qui la secouent. Il n'y a que des lumières orangées, dégoûtantes, qui s'agitent frénétiquement. Elles forment une sphère, dansent autour d'elle. Non, ce n'est pas une danse : ces choses lui en veulent ! Elles sont nombreuses, partout. Pourtant, les créatures se tiennent loin de la jeune fille. Elles se méfient, hésitent, semblent attendre quelque chose. Peu importe où Sofia se dirige, elles lui bloquent la route, tel un mur infranchissable. Elle est prisonnière. Elle n'arrive pas à se déplacer, engluée dans la matière poisseuse. Les courants, les vibrations, alors que tout est si calme, normalement... L'adolescente est malmenée, brassée dans tous les sens, désorientée.

Tout à coup, trois Sykrans surgissent d'un trou minuscule, passage entre la Kidité et l'Exéité, qui se referme aussitôt. Celui du milieu est si puissant, il illumine les lieux comme un phare dans la tempête, il irradie. Les créatures orangées s'éloignent de lui, effrayées. Elles le craignent. Il possède une telle force... Un éclair bleuté se dessine, faiblement, entre Sofia et lui. Il la libère de la matière et lui permet de circuler librement à nouveau. Les bêtes se tiennent encore tout autour, mais elles restent à distance de l'éclair, formant ainsi un tunnel entre Sofia et les autres Sykrans. À mesure qu'elle se rapproche des trois nouveaux venus, l'éclair prend de l'ampleur. Oui ! Cette énergie... C'est lui ! C'est son frère ! Elle ne reconnaît pas les deux autres. Tout ce qui compte, c'est de se rendre jusqu'à son frère, de se joindre à lui. Il est tout près, elle arrive...

– Qui es-tu ? lui demande-t-il, intrigué.

Sofia est d'abord surprise de comprendre clairement ce qu'il lui dit. Puis, elle se souvient vaguement d'un objet dans l'autre monde, qui devait l'aider à communiquer. Ç'a marché.

– Je suis ta sœur ! s'exclame-t-elle.

Au moment où, enfin, ils s'apprêtent à se toucher, à entrelacer leurs bras et à s'unir, la masse orangée se jette à vive allure sur son frère et ses deux compagnons. Ils ne l'ont pas sentie venir... La créature que Sofia a toujours crainte, immense et terrible, s'enroule maintenant autour de son frère et s'apprête à l'engouffrer. En une fraction de seconde, un passage minuscule se crée à nouveau dans la matière du monde. Glissant entre les tentacules de feu qui tentent de le saisir, le Sykran de son frère disparaît dans le vortex, et les deux autres sont aspirés à sa suite.

– Noooon ! hurle Sofia de tout son être.

La masse huileuse explose en une pulsion électrique qui envoie des ondes foudroyantes dans toutes les directions. Les créatures orangées sont balayées, mais, curieusement, Sofia ne bouge pas, immunisée. Elle ressent tellement de choses affreuses, de sang, de carnages, de violence, de colère et de démence à travers ce monstre qui se tient maintenant devant elle ! Sofia a l'impression d'être minuscule, de rapetisser devant le géant baveux qui l'encercle de ses horribles tentacules d'énergie...

Elle se réveille d'un coup en criant sur le sofa de Thomas.

Épilogue

Pénélope se redresse péniblement sur trois pattes. La quatrième ne lui obéit plus. Elle n'arrive pas à la poser par terre. Douleur. Sa hanche lui fait mal aussi. Où est-il ? Le retrouver. Pénélope explore la pièce des yeux, des oreilles et du museau. Odeur pénétrante de sang. Silence. Deux corps de mauvais hommes, étendus. Et là, au fond de la pièce, son maître qui gît, inanimé, avec les deux autres jeunes humains. Pénélope s'approche d'eux en boitant. Il a besoin d'elle et elle, de lui. Un bruit qui se rapproche. Des sirènes. Mais la chienne n'a aucune idée de ce qu'elles signifient. Tout ce qu'elle sait, c'est qu'elle doit aller voir Justin.

Elle arrive enfin devant lui. Il est immobile, dans un sale état. Elle lèche son visage boursouflé. Aucune réaction. Il n'y a plus de vie dans ce corps, mais elle refuse de l'admettre. Elle le lèche encore. Il est parti. Il l'a laissée seule. La chienne gémit, se couche près de son maître. Elle le pousse de son museau, espérant, malgré son instinct qui lui dit le contraire, qu'il va se relever. Rien. Rien que les sirènes à l'extérieur. Et des cris qui se font entendre devant la maison. Pénélope hurle.

Retrouvez Zed
sur Facebook :
www.facebook.com/Detrousseur.de.vies

Achevé d'imprimer au Canada
sur les presses de Imprimerie Lebonfon Inc.